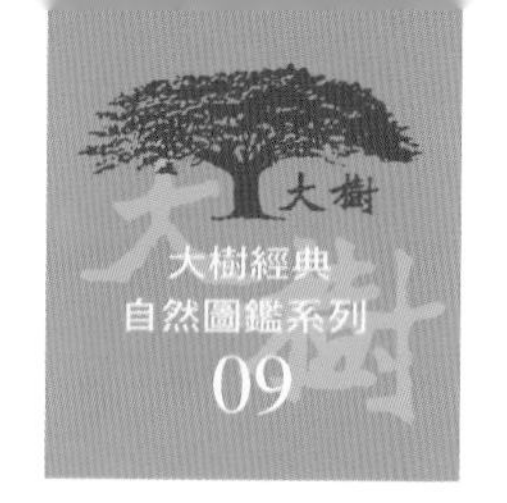

A FIELD GUIDE TO WILD FLOWERS OF TAIWAN IN SPRING & SUMMER

台灣野花365天 春夏篇

撰文◎張碧員．張蕙芬　攝影◎呂勝由　插畫◎陳一銘．傅蕙苓

《出版序》

台灣野花365天是如何誕生的？

剛開始構思有關台灣野花的書籍，便希望能與市面上的植物圖鑑有所區隔，並提供簡易可行的觀察方法與入門知識給讀者，進而引發大家觀察植物的興趣。和賞樹、賞鳥一樣，賞野花也是每天可做的自然觀察活動，於是才有了規劃一年365天觀察365種野花的想法，一天學習一種新的野花，這樣的自然課程任何人都學得來，『台灣野花365天』（春夏篇和秋冬篇）於焉誕生。

接下來，選擇365種野花便成為絞盡腦汁的安排難題。台灣的野生植物資源非常豐富，植物種類繁多，因此要挑選出這三百多種的植物種類，便要事先訂定一致的標準，經由幾位作者和學者專家長達數月的密切討論，大致歸納出以下的篩選準則：1常見，從平地到中高海拔的各個生態環境中挑選出數量眾多、容易觀察到的野花種類。2植物類別，以草本野花為主，兼及少數灌木或藤本植物。3挑選具代表性的台灣原生野花來作介紹，再旁及其他外來歸化野花。4植物特徵十分特殊或具代表性的野花種類，即使相當稀少罕見，亦會適當安排穿插其間。5不同生態環境的典型代表野花，從高海拔的草原、岩生地、針葉林到中低海拔的闊葉林、荒廢向陽地，乃至平地、海邊、農地、濕地，都能將生活其間的野花種類包羅進來，以完整建立植物與環境的生態觀。

首先挑選出近六百種的植物，再一一針對花期作安排與篩選，而「花期」便是整個企劃製作過程中所遭遇的最大難題。為什麼呢？

看似容易、順理成章的花期基本資料，在許多草本野花身上是付之闕如的，因為台灣從事野生草本植物的生態調查研究相當有限，而且缺乏全面性的全省調查合作計劃，以致花期的資料出入頗大。台灣雖小，但台灣北部、中部、南部和東部的野花開花日期已有差距，同時加上海拔高度的變化也大，讓花期的確定性更趨複雜。在一一查對資料或比對標本、請教學者專家，歷經十數次的更動，終於才有了這一份365天的野花名單。在花期與日期的安排有時未盡理想，並不能把每一種野花都安排在它開花最鼎盛的時期，但在取捨之間，我們已盡力作了最好的順序排列。

接下來，在內容的安排上，第一本春夏篇進入主題植物之前，我們首先針對台灣野花之美、觀察採集野花的要領和野花的私生活等，作了充分而豐富的解說，因為這是認識野花之前的必修課程。而每一種野花的介紹都包括植物特徵的詳細基本資料以及內文兩大部分，除了攝影圖片幫助鑑別之外，還穿插部分優美的野花插畫以及細部特徵圖解，以加深讀者的印象，並提供最簡單的記憶方式。第二本秋冬篇則從9月的野花開始至2月冬末野花為止，365種野花學習完成之後，我們還安排了有趣的山野草簡易栽培和蜜源植物名錄。當然，為了讓人人可以簡單上手，我們特別在書末製作了國內首見的野花花色索引，可以從花朵的顏色來按圖索驥。此外，學名和中文名稱的索引也是不可或缺的部分。

就『台灣野花365天』的整體製作而言，我們以一般讀者容易入門的角度來著眼，因此不論內文的撰寫或基本資料的描述，無不以淺顯易懂的重點式提要為主。而使用的便利性也是我們編輯的另一重點，以日期為整本書的主軸，非常容易使用，再加上花色的索引，更可以讓這兩本書的功能發揮無遺。

製作完成的『台灣野花365天』期望為每一個人多打開一扇門窗，找到接近大自然的入門徑，並逐漸成為樂此不疲的自然觀察家，這即是大樹文化出版自然叢書最深的期許與願望。

台灣野花365天　春夏篇

《目錄》

春天的野花……36～129

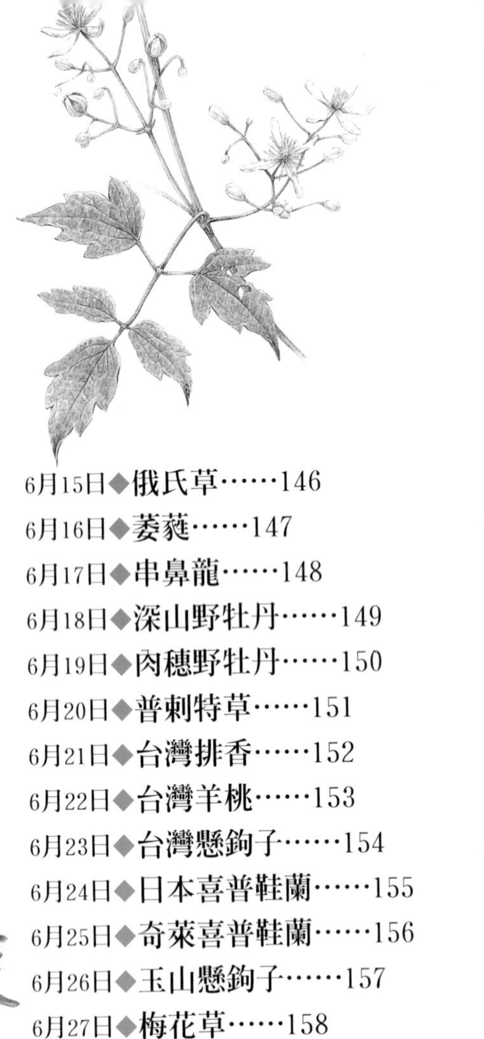

台灣野花之美

野花，指的是會開花的種子植物，它們不藉由人為的刻意栽培而在自然界裡繁衍，生命的週期、繁殖的方式、生長的習性，都與周遭的生育環境深切呼應。台灣，雖然只是一個小小的島嶼，但由於地形的富於變化（海岸、溪谷、湖泊、淺山至高山峻嶺）、溫暖濕潤的氣候影響（北部受東北季風，南部受西南季風影響），這種地形與氣候垂直、水平交織而成的細膩環境分化，讓台灣孕育出近2000多種的野花（不包含蕨類、裸子植物及喬木類野花）。

為了了解野花與環境的關係，本篇章我們嘗試著以概略性的方式介紹台灣各種環境中的野花（本書所介紹的野花乃以草本及藤本植物為主），希望讀者能藉此對台灣的野花有初步的認識。

（攝於能高山南峰，7至9月碎石坡上玉山當歸等野花熱烈盛開。）

路旁荒地的野花

長在路邊、安全島、庭園或荒廢地上的野花，是和人類關係最密切的一群。雖然它們經常遭受踐踏或修剪，但是靠著強大無比的生存繁殖能力，這些「雜草」依然年年開花結實。這類野花最具代表性的是車前草、黃鵪菜、蒲公英等植株低矮、以簇生葉平展貼地的耐踐踏族群。而植株較高的野花則有野莧、青葙、黃野百合、加拿大蓬、大花咸豐草、昭和草、睫穗蓼等荒地型、傳播力強的勇將，幾乎在住家附近的空地皆隨處可見。這類野花同時也是日常觀察的最佳素材。

農田的野花

水田、菜圃、田埂上的野花，有得天獨厚的好環境，因爲這裡的土壤十分肥沃鬆軟；但它們也有生存的危機——被犁鏟、遭受福壽螺及除草劑的禍害。水田或潮濕多水的耕地、田邊水溝，常見的野花以野慈姑、鴨舌草、水丁香、水蓼爲代表；泥胡菜、白花和紫花藿香薊、小葉灰藋則是冬季休耕田中熱鬧的一群；菜圃裡最常見到菁芳草、假吐金菊和小葉冷水麻，它們喜歡肥沃而略潮濕的環境；而土壤較爲堅硬紮實的田埂，則四季可見兩耳草、水蜈蚣等雜草。

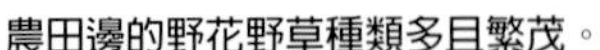
農田邊的野花野草種類多且繁茂。

農田裡的雜草通常和農作物同時發芽，又比農作物更早開花結實，有些甚至以強韌的地下莖繁殖，因此每年生長不斷，要除去難上加難。這些野生植物，由於每年接受人爲的干擾，因此不會有演替現象產生，每年長出的種類都相當穩定。倘若農田休耕時間歷經多年，一些生長較優勢的植物就會慢慢取代而改變了原來的面貌。

濕地及水塘湖泊的野花

這類水生性野花由於受候鳥傳播的機率頗高，因此幾乎是世界性普遍分佈，只有極少數像台灣萍蓬草，是道道地地的台灣特有種。

台灣各處有天然或人工的沼澤、湖泊、池塘與水田，水中與水邊的野花種類相當豐富。若依水生野花的生長習性來區分，可分爲「挺水植物」（莖葉挺出水面，例如鴨舌草）、「沈水植物」（莖葉沈入水中，例如水車前）和浮水植物（莖葉浮在水面上，如布袋蓮）。另有一些長在湖泊、水邊或溝渠邊的野花，它們的根系往往延伸到水裡，而隨著水深水漲，時而成爲挺水植物，像長梗滿天星、水丁香、各種蓼之類的野花。

典型的水生野花，靠著普遍分佈在根或莖葉中的「氣洞」交換氣

散佈在全島各處的沼澤濕地，是水生性野花大片繁衍的地方。

砂岸型的海邊野花通常覆蓋性強，能節節生根。圖為馬鞍藤。

體，才能避免水中的器官因缺氧而壞死。觀察水生野花時，不妨將它們和陸生性野花作比較。夏季是水生野花的主要季節。

海邊的野花

根據海邊的土壤狀況，台灣的海邊野花主要可以分爲三種：①台灣東部及南部海崖、岩石及珊瑚礁岩上的野花。由於此處缺乏豐富的土壤，植物爲了忍受嚴苛的環境（強日照、強風、海潮侵襲），植株多數矮小、匍匐，根系通常伸入岩穴裡，例如藍花磯松、水芫花。②西部海岸砂礫灘上的野花。砂礫灘是台灣海岸線的主角，尤其是西部海岸更有寬廣的砂岸空間，這裡的野花種類約佔海邊野花的半數以上。覆蓋性強、節節生根、莖葉肥厚、根系深長都是野花們生存的武器，例如馬鞍藤、濱蘿蔔、蔓荊。③南台灣熱帶海岸林內的野花。此處彷彿海岸的天然屏障，野花因而有較好的生長環境，它們的果實或種子多具有軟木構造或充氣裝備，以便靠海潮傳播。例如大萼旋花、白水木。

整體來說，台灣的海濱植物十分豐富，北

部、東北海岸、墾丁珊瑚礁岩岸、西部的砂岸都是春夏季賞花的好去處。而南、北部的野花種類也頗有差異性（岩大戟、石板菜、基隆筷子芥……爲北部海濱特有植物；濱斑鳩菊、安旱草、土丁桂……只在南部看得見），前往海邊戲水的同時，不妨多留心觀賞。

低至中海拔山區的野花

海拔800公尺以下的山區，屬於低海拔亞熱帶闊葉林。常見的野花有堇菜類 、葛藤、菝葜類、百香果、山葡萄、桔梗蘭、樓梯草、俄氏草……等，花期主要在2至4月，北部烏來、陽明山區，中部關仔嶺、東勢以及各地的淺山，都是賞花地點。

中海拔林緣、路旁潮濕地，初夏時常見野花競放。圖為海螺菊。

6至8月高山野花盛開，沿著公路兩旁便能欣賞。圖為虎杖群生在高山草原上。

中海拔山區乃指800公尺以上至2300公尺的溫帶林。太平山、梨山、武陵農場、清境農場、阿里山、南橫公路等都屬於此範圍，主要花期在4月至6月。森林下的草花數量極爲豐富，野花的密度也是所有地區中最高的，可以說是台灣植物的珍貴地帶，特別是在1800～2300公尺的山區，由於處在針闊葉林混生的生態交會帶，物種尤其豐富，台灣笑靨花、台灣溲疏、台灣胡麻花、蛇根草、鳳仙花類、鐵線蓮類、獼猴桃類、藤繡球……等，野花多樣而繁茂。

高山的野花

在海拔2300公尺到3200公尺的高海拔山區裡，針葉樹已顯著地取代了闊葉林，主要的野花是矮小的杜鵑類和小蘗類，以及各種龍膽、籟簫、黃菀、水晶蘭、斑葉蘭等。海拔3000至3500公尺，是台灣最高的森林，高大的闊葉樹已完全消聲匿跡，大片冷杉、雲杉、鐵杉的自然純林呈現了全然不同的風貌。在曠野或森林空隙間，玉山箭竹處處盤據，其間混生著漂亮的高山野花諸如沙參類、龍膽類、佛甲草類、梅花草、一枝黃花、籟簫，以及高山杜鵑、茶藨子等小灌木。

海拔3500公尺以上的高山屬於高山寒原地帶，

高山岩屑地在短暫的夏季出現了繽紛花園。（攝於雪山，玉山山蘿蔔、玉山石竹和白色的玉山蠅子草混生）

杜鵑類野花常形成高山草生地上動人的花海（攝於合歡山，紅毛杜鵑）。

由於氣溫嚴寒、土壤發育極差，針葉樹也不易生長，取而代之的是矮盤、匍匐叢生的玉山圓柏及杜鵑類野花，而典型的高山野花像薄雪草類、柳葉菜類、山芥菜類，也頻繁的出現在向陽的裸露地、岩屑、岩原之間。這些高山的草本野花以全身密生的毛茸，或反捲的葉緣、肥厚蠟質的葉片、又粗又長的主根，抵抗著高山嚴酷的生長環境。

高山野花的花期主要在6至8月，五岳三尖（玉山、雪山、秀姑巒山、南湖大山、北大武山、中央尖山、大霸尖山、達芬尖山）是理想的賞花地點。其中又以南湖大山更是高山野花的菁華地帶，所記錄的野花近160種；而就交通與登山的便利性而言，玉山是最熱門的路線。

就全台灣的植物種類而言，森林性的野花與中國大陸的植物關係較密切，都是同屬於喜馬拉雅山區的植物；而海邊的植物由於受黑潮自南而北的潮向影響，與菲律賓、南洋的淵源較深。此外，各種因食用、畜牧用、觀賞用，或因交通工具、人爲因素，由國外引進的植物，長久以來，就地馴化野生的數量也相當龐大。台灣的野花，事實上兼具著道地的本土性與世界普遍性風格。

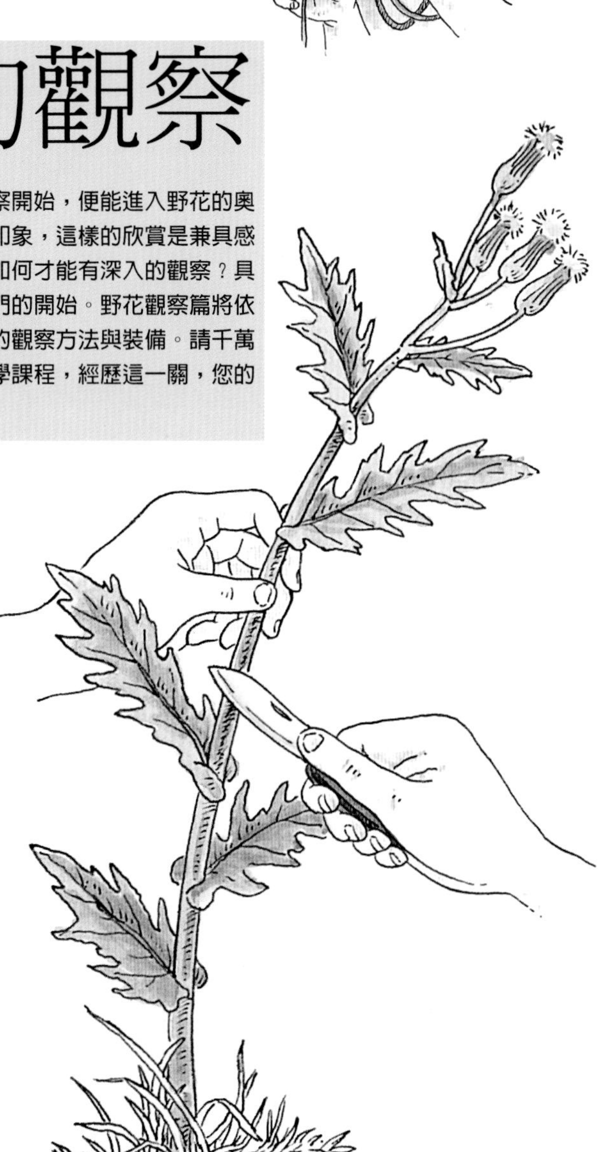

野花的觀察

欣賞野花如果能從深入的觀察開始，便能進入野花的奧妙世界，也能留下深刻的草木印象，這樣的欣賞是兼具感性與知性，也最富有樂趣。而如何才能有深入的觀察？具備簡單基本的野花常識便是入門的開始。野花觀察篇將依次介紹花的構造與器官，簡易的觀察方法與裝備。請千萬不要畏懼這段深入淺出的植物學課程，經歷這一關，您的野花世界將更豐富有趣。

認識一朵花

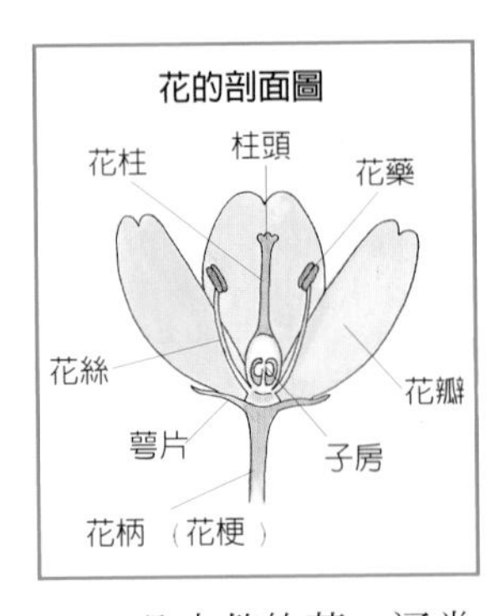

一朵完整的花，通常具有萼片、花冠、雄蕊和雌蕊，然而其中也有一些花朵沒有萼片或花冠，也有的只具有雄蕊（稱爲雄花）或只具有雌蕊（稱爲雌花）。還有一些是由很多很多的小花朵聚集起來，看起來就像一朵花一樣。

萼片、花冠、雄蕊、雌蕊的數目，因花的種類不同而有很大的差異。通常萼片長在花朵的最外側，大多數呈綠色；花冠就在萼片內側，形狀和顏色有很多變化，花瓣是組成花冠的單位。如果每個花瓣都是分開來的，就叫「離瓣花」（如茶花），花瓣與花瓣之間有任何連接癒合的狀況就叫「合瓣花」，合瓣花的整個花冠便形成管狀或漏斗狀（如牽牛花）。而花萼與花瓣又可統稱爲「花被片」，通常用於花萼與花瓣十分相似而難以分辨的情況。

雄蕊長在花冠內側，通常和萼片或花瓣的數量一樣或更多，它是由花絲和花藥（花絲頂端的花粉囊）組成。雌蕊長在花的中心位置，它由囊狀的子房和花柱、柱頭組成。柱頭是雌蕊接受花粉的部位，表面常凹凸不平、分泌黏液，黏液內含有許多酵素，可以讓花朵只接受同種植物的花粉。觀察花形的構造，便能逐漸了解花朵授粉的機制，是賞花者最應具備的常識。

禾本科的花型

禾本科的花被已退化成鱗被，雄蕊和雌蕊被包在內花穎與外花穎裡，此部份稱為小花。小花們聚集並包在苞穎裡，稱為小穗。小穗通常擁有一朵以上的小花，但若只有一朵花時也稱為小穗。

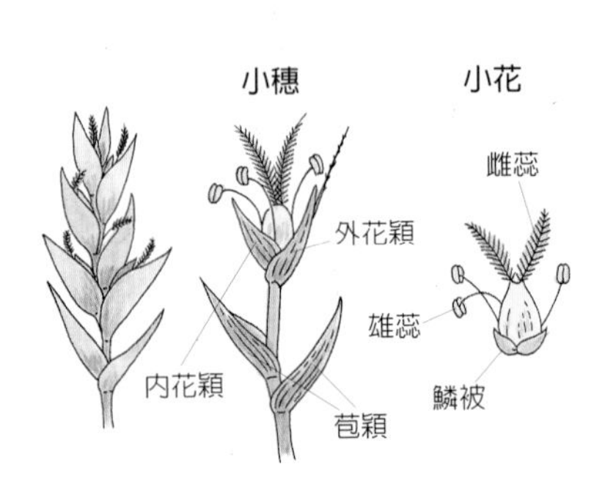

花序的形式

植物的花朵並非胡亂生長，它們都有一定的次序，或疏或密地排列在花莖上，這種花朵的著生方式便稱爲花序。花序的形式變化很多，從這裡我們可以觀察出不同類型的植物，並看出它們的開花順序。以

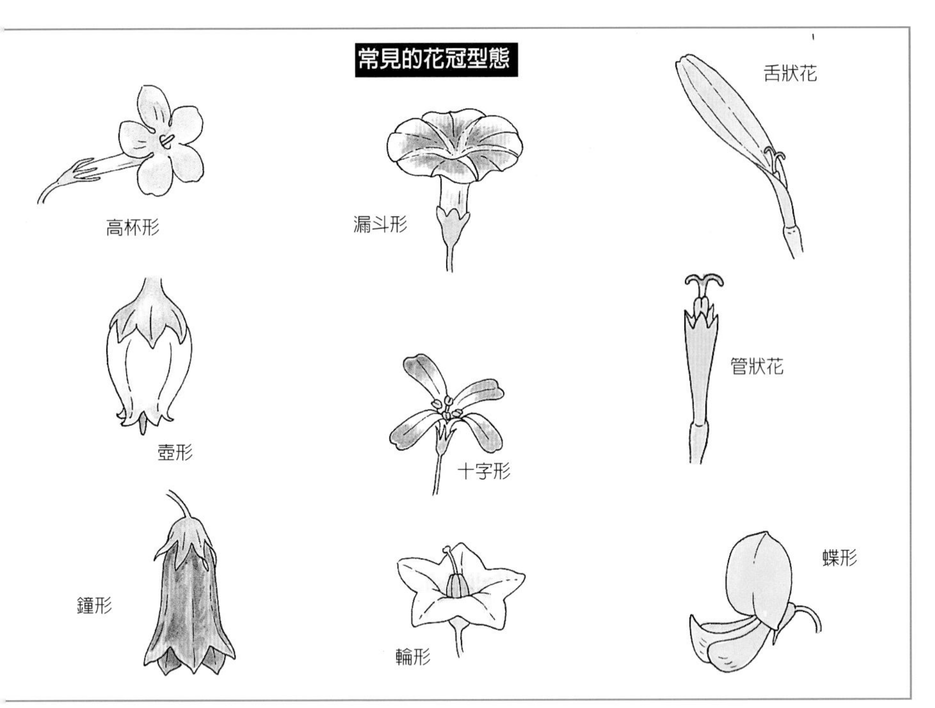

下是野花常見的幾種花序。

無限花序

花朵由下往上或自外側而向內側開，只要花軸不斷生長，便能不斷開花。

穗狀花序　花軸上的小花無花梗，例如車前草。另有一種葇荑花序和穗狀花序相似，但花軸柔弱下垂，且爲單性花，雄花多在授粉後整穗掉落。例如桑樹的雄花序。

總狀花序　花軸上著生的小花有花梗。例如濱蘿蔔、血藤。而複總狀花序又叫作圓錐花序。如大葉溲疏、串鼻龍。

繖房花序　繖房花序的花梗，由下至上漸短而形成一平頭狀的花簇。例如玉山繡線菊。

頭狀花序　花軸擴展成盤狀，其上著生著無柄小花。例如菊科的植物。

繖形花序　花軸的節間不延伸，所有帶梗的小花齊生於一點，並形成繖狀。例如毬蘭、台灣胡麻花。

肉穗花序　穗狀花序的花軸變成肉質。這類花序周圍常圍著佛焰苞。例如天南星科植物。

有限花序

花軸生長有限，而花朵數目也不能逐漸增加；花由上而下，自中心部往周圍開放。

單生花　花軸頂端只生一朵花。

聚繖花序　花軸頂生一朵花，兩側各有一分枝，枝的頂端也著生一朵花。例如牽牛花、蛇根草。

團繖花序　多數無梗的小花密集簇生，頂端成一平頭狀。例如：短角

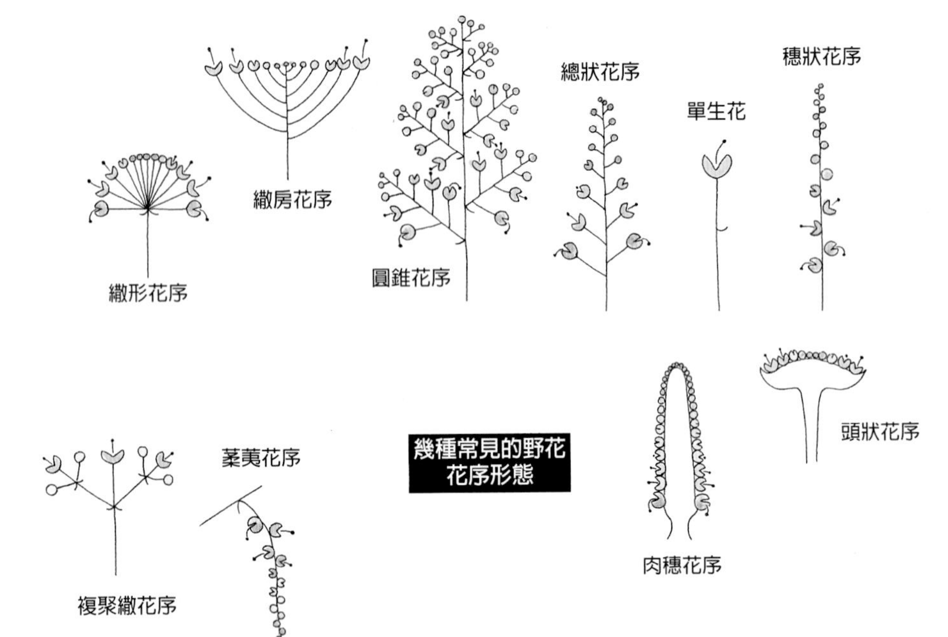

冷水麻。

輪繖花序　多數小花群生在每個葉腋，形成輪狀。例如唇形科的塔花、益母草。

果實與種子的觀察

雌蕊授粉、受精之後，花瓣和雄蕊便功成身退而枯萎脫落，只留下子房。子房會變大而成爲果實，種子就是由子房中的胚珠發育而成。爲什麼果實會長成那樣，長成這樣？如果能仔細觀察由花變成果實的階段，便能清楚明瞭。觀察果實通常可由果皮著手，果皮究竟是多水分的肉質果或乾燥的乾果？成熟後開裂或不開裂？這是初學者最容易觀察到的重點。觀察果實可以由它的形態進而了解種子傳播的方式，十分有趣。

乾果，成熟後開裂

莢果　成熟後由背、腹兩縫線開裂，例如大多數的豆科植物。

節莢果　外形像莢果，但成熟後一節節橫裂成數段，例如含羞草、山螞蝗類。

角果　開裂時分成兩半，中間有一隔膜。分爲圓柱形的長角果（如山芥菜）和扁三角形的短角果（如薺菜）。

蒴果　果實成熟後作縱向開裂。開裂的方式有孔裂（從果瓣頂端開裂）、胞間開裂（從果瓣接合處開裂）、胞背開裂（從果瓣中肋裂開）、蓋裂（從果實中央橫裂爲二，似掀起鍋蓋，此種果實也稱爲「蓋果」）。

蓇葖果　僅由一條縫線（腹縫線）開裂。如台灣笑靨花。

胞果　和蓋果相似，但只含一粒種子。如莧科植物。

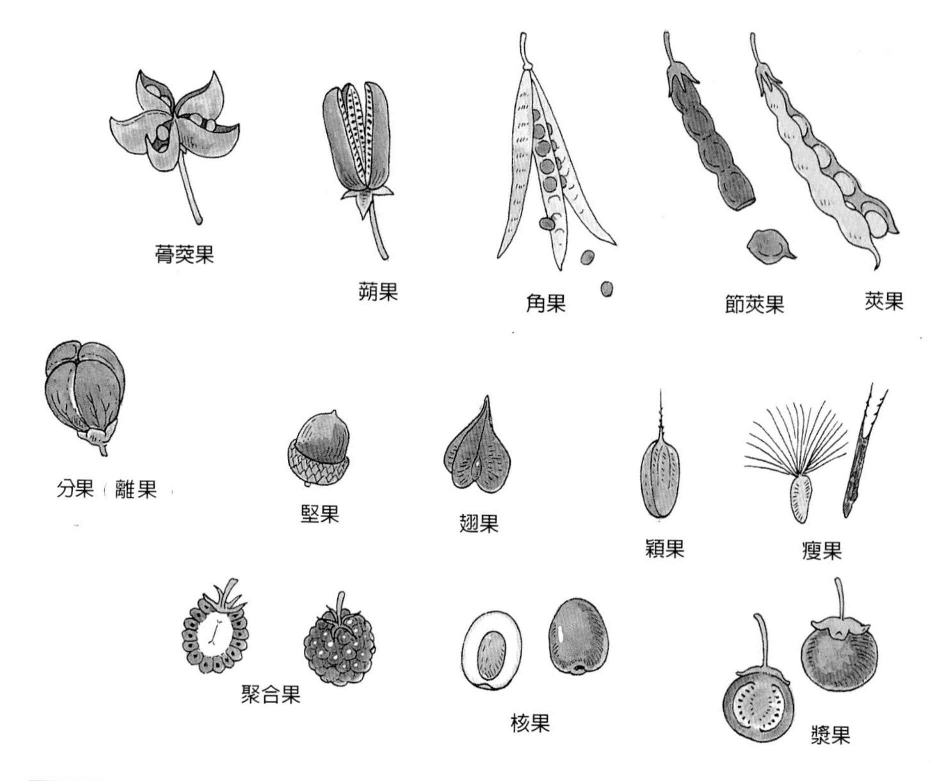

乾果，成熟後不開裂

瘦果　一室的子房和單一胚珠形成，種子與子房壁分離，果形常呈細瘦狀。如毛茛屬及菊科植物。

穎果　和瘦果類似，但種皮和果皮緊密結合不易分開。如大多數禾本科植物。

翅果　果皮伸出形成薄翅。

堅果　果實堅硬，一室一種子，種子單粒大型。如戟葉蓼、益母草。

分（離）果　成熟時裂成數個各帶一個種子之小果實。如多數繖形科植物。

多汁的肉質果

漿果　外果皮薄薄的一層，內果皮及中果皮多漿汁。如獼猴桃、西番蓮。

核果　外果皮爲薄層，中果皮多肉質，內果皮又厚又堅硬。如台灣青莢葉、海州常山。

此外，還有一些野花的果實是由很多密集的小果共同發育成的，例如桑椹，我們叫它「多花果」。如果單一的一朵花中，有多數的雌蕊彼此各自發育成小果實，並共同組合成一大果實，便稱爲聚合果，例如草莓（聚合瘦果）、懸鉤子屬植物（聚合核果）。

野外觀察裝備

野外觀察時，若有充份的裝備，將能幫助採集、記錄與認識，並使觀察活動順利有趣。

如何觀察野花？

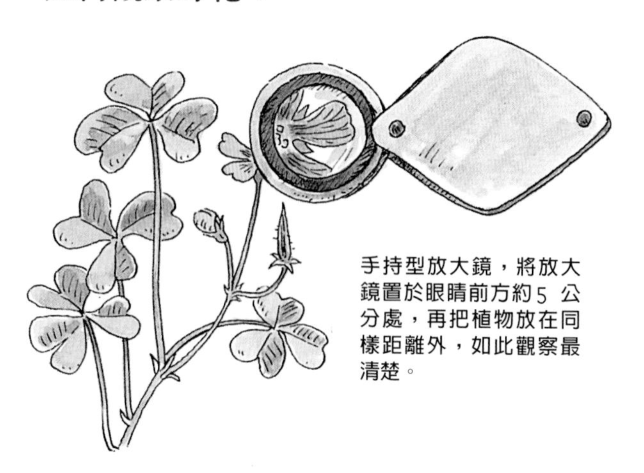

手持型放大鏡，將放大鏡置於眼睛前方約5 公分處，再把植物放在同樣距離外，如此觀察最清楚。

在野外觀察野花，不僅賞心悅目，更可以進一步學習植物的知識。不過要看得仔細，往往必須仰賴一些簡單的裝備，才能將植物的生長特徵等細節詳加記錄。野外觀察的配備越方便、越輕盈的越好，觀察野花時建議您攜帶一小型放大鏡（handlens，如圖所示），放大倍率以8倍或10倍爲佳。一手拿著花，一手持放大鏡，在光線良好處即可進行觀察，有此放大鏡，即使是很小的野花，也能看得一清二楚。眼睛距離放大鏡約5公分，放大鏡距離植物也是5公分，如此焦距最清晰而且易於觀察。

野外觀察時不只可以野花爲對象，也可同時賞樹、賞鳥、賞昆蟲，因此隨身攜帶望遠鏡是絕對必要的。望遠鏡既可觀察遠方的鳥類、大樹等，反過來用又可變成方便無比的放大鏡，以近距離觀察野花、昆蟲等，一舉數得。

進行野花觀察時，不僅應注意野花植株的花朵、生長特徵等，更應進一步記錄其生長環境的特色，是開闊的向陽荒廢地還是陰濕的闊葉林下？有無其他生物在野花上活動？花朵的開放特性爲何？有無結果？如何傳播種子？與其他一起生長的植物有何關係？……種種細節都可以詳加記錄，而不是僅看到漂亮的花朵就好了。事實上，這些觀察細節都將透露出野花私生活的秘密，我們也才能逐漸摸索出植物與環境之間的關係。

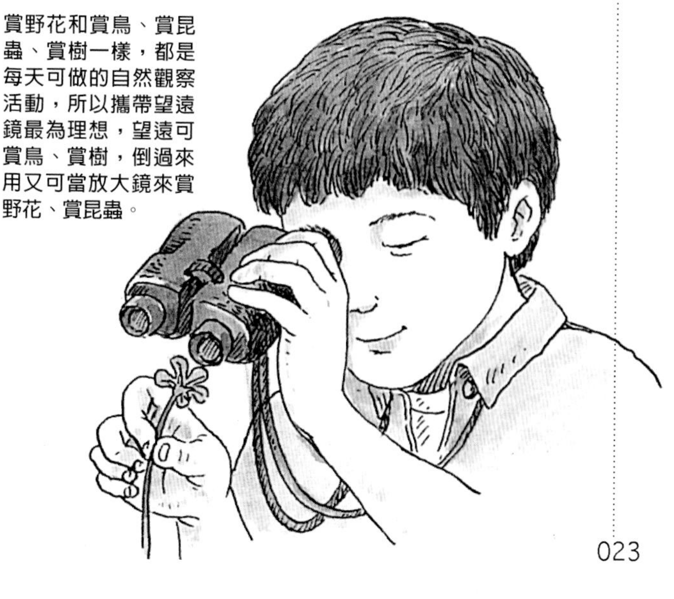

賞野花和賞鳥、賞昆蟲、賞樹一樣，都是每天可做的自然觀察活動，所以攜帶望遠鏡最為理想，望遠可賞鳥、賞樹，倒過來用又可當放大鏡來賞野花、賞昆蟲。

如何採集野花？

如果想要深入研究野花，就必須採集野花標本，並加以分門別類保存。

首先，採集的原則必須先加以嚴格規範。採集野花不得危及該種植物的生存，因此只在繁茂的植物群落中採樣，稀有植物絕對不能採集，只能就地觀察記錄。其次，只有狀況佳的植物才加以採集。

進行採集時，手勢宜輕，以免傷害其他沒有採集的部位。花朵部位的採集要在乾燥的晴天進行，以避免日後發霉腐爛而影響保存。以刀片或剪定鋏剪取花枝，若有葉片亦應一併採集，才能便於種別的確認，若有果實或種子，最好也一起採集。
採集野花之後，可以將植株放入有封口的塑膠袋中，以保持野花的新鮮度，每一袋均要註明編號，以免混淆不清。不過塑膠袋攜帶較爲不便，有時野花很容易被壓扁，而枉費辛苦的採集，因此如果可能的話，最好帶個塑膠保鮮盒（有蓋子的）。

一旦採集之後，最好馬上做一份標本標籤，千萬不要過份相信自己的記憶力，標籤上要註明中文名稱、學名、採集時間、採集地點和環境特色等。

採集植物一定要有清楚的目的，不要因爲野花的數量很多就恣意採摘，事後也不善加保存。如此糟蹋植物珍貴的生命實在稱不上是自然觀察家。

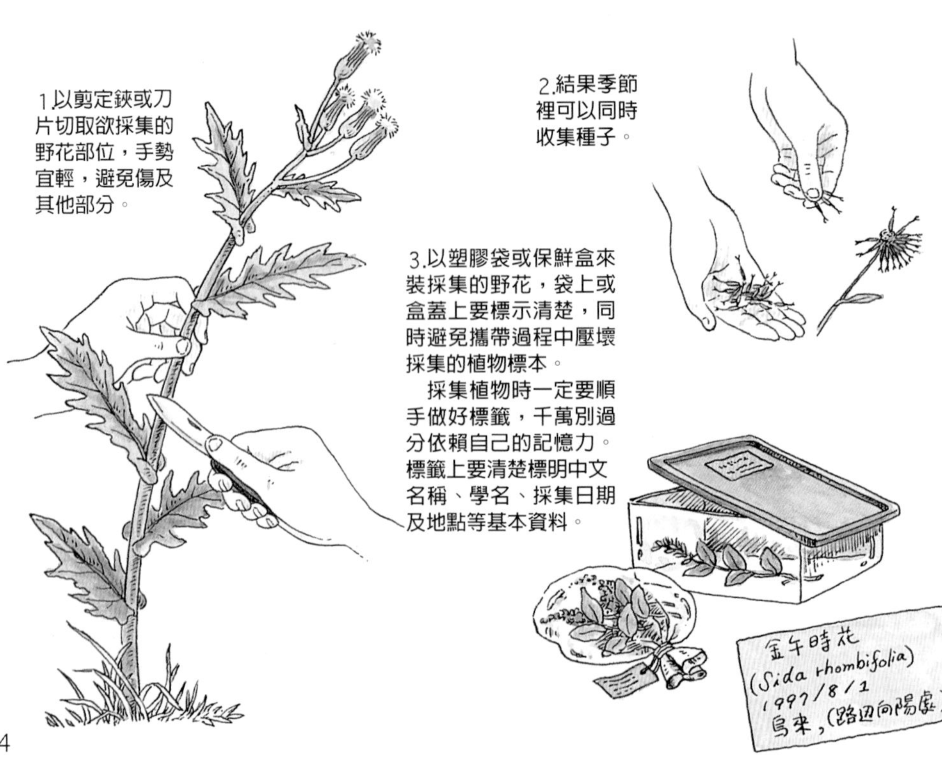

如何保存野花？

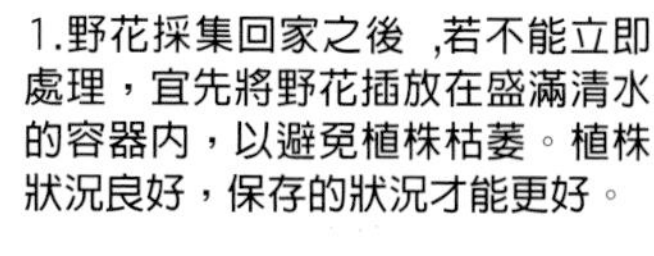
1.野花採集回家之後 ,若不能立即處理，宜先將野花插放在盛滿清水的容器內，以避免植株枯萎。植株狀況良好，保存的狀況才能更好。

2.在保鮮盒內舖一層乾燥劑，放好野花之後，再緩緩放入乾燥劑，最後蓋上盒蓋即可。以此方法乾燥的植物，顏色可以保存得最好，但步驟較麻煩，還得準備乾燥劑。

採集野花之後，要加以處理方能長久保存。首先，趁植株還十分新鮮之前，先拍照或繪圖，以免乾燥或製作標本之後，花朵的顏色失真或褪色。

如果短時間內無法立刻處理野花的植株或製作標本，最好先將野花插在花瓶中，以維持植株的新鮮度，否則枯萎後就無法保存了。狀況越好的植株，日後的保存工作也就越容易進行。

野花的乾燥可以使用最簡單的倒吊方式，在室內通風處吊上一簇簇野花，腳上頭下，天氣狀況良好的話，幾天就可以完成。不過這種方法比較適合花瓣呈乾膜質的野花，如青葙、禾本科的狗尾草等，一般的野花花朵往往萎縮、變形，而難以辨認，同時也很容易長霉、腐爛。禾本科的象草、五節芒等花穗在新鮮時非常美觀，但一旦乾燥之後，小穗便一一脫落，只留下光禿禿的花莖，不僅無法保存，小花穗還會到處亂飛，難以清理，不可不慎。

近來十分盛行的押花藝術，也可用於野花的保存，優點是花朵的顏色可以保存得很好，缺點則是步驟麻煩，需要比較多的器材和乾燥藥劑等。不過在家裡倒是可以採用簡易的押花乾燥法，以有蓋的保鮮盒倒入半滿的乾燥劑，再平鋪花朵及葉片，然後輕輕覆上乾燥劑，蓋緊盒蓋即大功告成。

不過適用的野花種類可能要多方嘗試，才能決定使用那一種保存方法比較好。

如何製作野花標本？

傳統的植物保存，還是以製作標本者居多，一方面收藏建檔容易，另一方面則執行的過程比較容易達到保存的完整性和效果。

最簡單的製作方法，

以書本來壓縮、乾燥植物，是最為常用的簡便標本製作方法。

莫過於準備幾本厚重無比的書和幾張舊報紙，將植物平鋪在報紙上，覆上一層報紙，然後以書或磚塊加以重壓，大概一星期或十來天即可製作完成，不過平鋪植株要十分仔細小心，否則有時會完全被壓壞。

標準的標本製作法要準備乾淨的白報紙、吸墨紙、瓦楞紙各數張，以及長45公分寬30公分的格狀木板兩片，還有固定用的繩索2條。將植物置於對摺的白報紙當中，注意保持花朵、葉片或莖等各部位的自然位置，紙外寫上植物的編號。兩面各置吸墨紙一張，吸墨紙外再夾瓦楞紙，如此即可確保通風良好。所有的植物標本皆如法炮製，直到一大疊的厚度不超過45公分左右，上下各放置格狀木板一片，繫上固定用的繩索，然後放於乾燥、涼爽的通風處。

以格狀木板來壓製植物標本，是傳統的製作方法，效果很好。

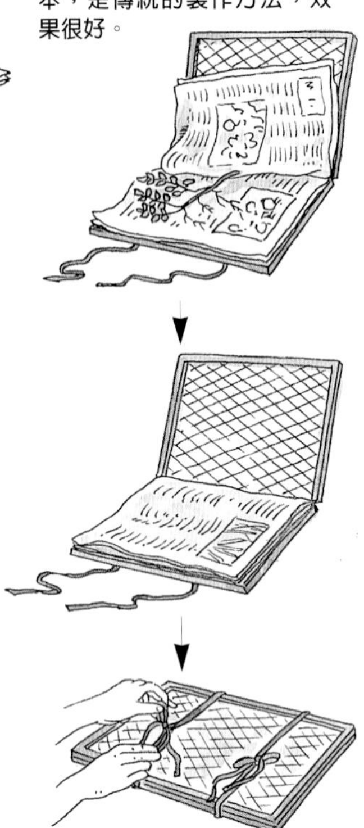

要注意植物失水之後會縮小，宜不時調整繩索的鬆緊度。

一星期左右，植物即可完全脫水，小心取出標本，背後塗上薄薄的膠水，貼在乾淨的白色圖畫紙上，並在右下角貼上註記清楚的標籤，包括標本編號、中文名稱、學名和詳細的採集資料等。最後，依照植物的分類或採集地點等將標本編排在文件檔案夾內或筆記本裡。如此，野花的標本製作便大功告成。

如何記錄野花？

除了野花的採集、保存和標本製作之外，觀察野花最重要的是留下完整的紀錄，以便日後比對和資料歸納之用。記錄的方式大致可以分為攝影、繪圖和文字的描述，而筆記本、資料卡和標本卡紙更是不可或缺的工具。

對自然觀察家而言，隨身攜帶的野外筆記本是不可或缺的部分，可以隨手記下看到的自然現象、植物或動物，某些特徵用速寫或素描畫下，並標上顏色，以加強自己的印象。

除了野外筆記本之外，家裡應該還要準備另一本比較詳細的筆記本，以活頁式的為佳，方便資料歸檔及加添資料之用，同時這一本筆記還可放入攝影圖片、植物標本以及完整的文字敘述。將野外筆記的零碎資料轉入這本詳盡的筆記時，尤需注意記錄觀察的日期、地點、天氣狀況、周遭環境條

葉片的拓印是記錄的好方法，葉片的特徵可以明確留下紀錄。

件，以及觀察過程中發生的點點滴滴等。

資料卡的建立可以便於日後查詢之用，每一種記錄過的野花都有其專用的資料卡，上面有名稱、採集地點、標本編號或筆記本的頁數，以自己熟悉的方式加以排列整理，如按照植物的科別、屬別，或是以中文名稱的筆劃順序均可。

記錄野花時，除了植株本身的特徵之外，還應一併記錄其他相關的生物，以進一步瞭解植物和其他生物的依存關係。如採花蜜的蝶、蛾或蜂，葉片上有無毛毛蟲，種子或果實的傳播借助何種外力……等，皆應詳加記載，同時不同生物的不同活動時間也應仔細記錄。如此一來，這樣的完整紀錄幾乎可以說是生態系中迷你食物網的重現。

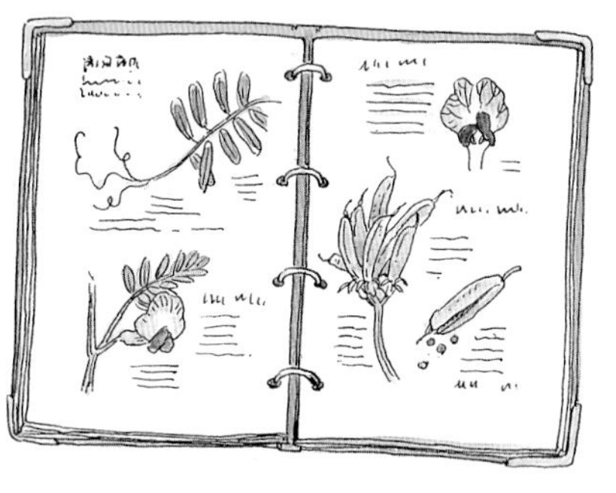

野外筆記和資料卡的製作，都是記錄野花不可或缺的部份，野外筆記可以在戶外將所有細節或觀察點滴一一寫下，待回家之後，再重新整理歸納，然後記錄在資料卡上。

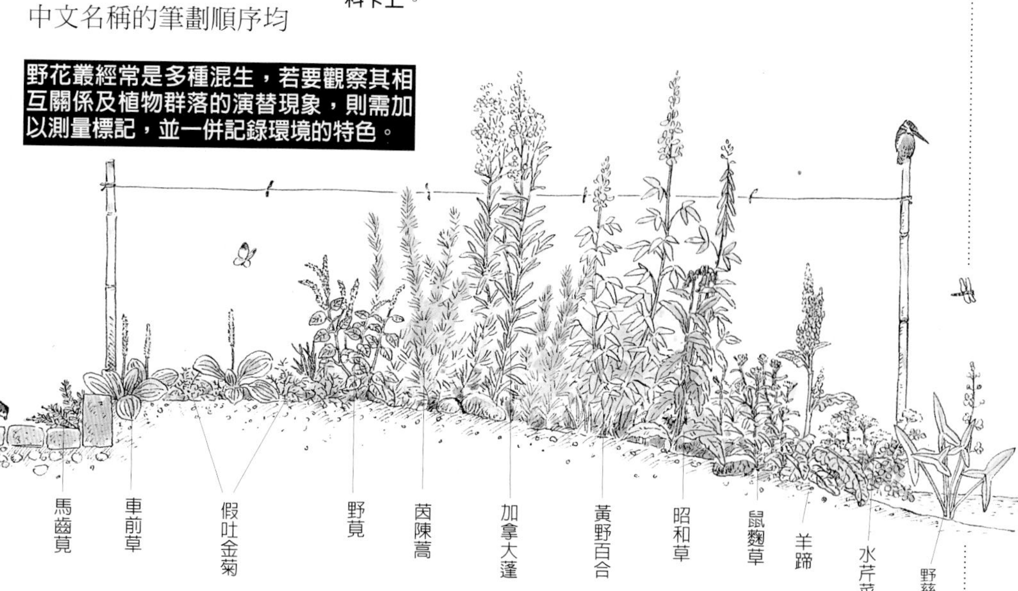

野花叢經常是多種混生，若要觀察其相互關係及植物群落的演替現象，則需加以測量標記，並一併記錄環境的特色。

野花的私生活

我們雖然沒有機會親眼目睹：一個經過海底火山爆發後形成的新島，如何一一出現植物，但在生活中，卻常常有機會注意到屋緣牆角突然又冒出一棵小小的生命，開著美麗的小花；到了新春，原本單調的草地，竟落滿了紫色的酢醬草、黃色的小菊花、可愛的通泉草……。這些野花是如何來的？它們如何能看似一動也不動，卻又能擴散到新的環境、形成新的群落一代一代地繁衍它們的子孫？窺探野花的私生活，幫助我們了解植物的智慧，也懂得自然界的奧妙與互動。

關於授粉

花朵最重要的器官

一朵花中，最不能缺少的是雌蕊和雄蕊，雄蕊把花粉傳給雌蕊（授粉），最後結成果實。花冠和花萼的任務主要是在開花期保護雌蕊和雄蕊，以及達到吸引昆蟲來傳粉的目的。當然，即使沒有花冠或花萼，只要有雌蕊和雄蕊，一樣能達到結實的目的。魚腥草就是典型的例子。

因此，花朵會想盡辦法來保護雌蕊、雄蕊這兩個重要器官。例如有些白天開放的花朵，到了晚上就會闔上花瓣，以防止露珠浸濕花粉；多雨的地區，野花經常向下開出，以避開雨水沖刷；有些開在早春氣候嚴寒多變的野花，花瓣也會隨狀況需要，閉合起來保護未交配的雌蕊、雄蕊，直到它們順利完成授粉。

植物不像動物可以自行尋找交配對象，因此它們得利用身邊最有利的環境條件來幫助它們完成授粉的工作，就我們常見的野花而言，昆蟲與風是它們最佳的傳粉使者。

造訪台灣藜蘆的蝽象。

利用昆蟲傳粉的蟲媒花

花蜜和花粉是蟲媒花吸引昆蟲的兩大要素，而為了要讓昆蟲遠遠便認出它來，通常花色豔麗，有單一的大型花朵或大型花序。冇骨消、各種鳳仙花、牽牛花、豆科植物的蝶形花即是典型的蟲媒花。花蜜通常藏在花冠底部，因此花冠平展、花冠筒短的蟲媒花吸引的是口吻部較短的昆蟲，花粉就沾

冇骨消大型花序上平展的密腺（黃色杯狀物），是蝶類最愛的蜜源植物。

開闊地上受風情況佳，是風媒花的主要舞台。圖為白茅。

在昆蟲的腹部或腳上；而圓筒形、蝶形、唇形的花，花蜜較深，必須仰賴口吻較長的昆蟲，花粉便沾在昆蟲的腹部或背部。

一般來說，蜜蜂是花兒最重要的蟲媒，由於它們的幼蟲乃至成蟲都需仰賴花粉和花蜜為生，可說是不得不勤快採蜜的一群；同時牠們還具備了持續造訪同一種花，並善於潛入花朵深處的功夫。

為了方便昆蟲在採蜜時帶走花粉，花朵演化出許多巧妙的構造與機制，例如為了能確實將花粉沾在昆蟲的身體特定部位而彎曲朝上或朝下的花柱；可以將花粉於瞬間壓彈出來的集粉毛；各種詔告此處有花蜜的花冠造型……。通常生長在森林下的野花多數靠昆蟲傳粉，這是因為林下風速極弱的緣故。

借助風力的風媒花

利用風力傳粉的花朵並非只是默然等待風來與不來，它們會選擇容易受風的季節和位置開花，花朵的構造也會考慮利於受風的型態。例如車前草的長花序或是禾本科植物只將花藥與柱頭露出穎包外。風媒花的花粉粒多半乾燥而光滑，即使是一點點的微風都能發揮極大功效，有些花粉的飄散更可遠達幾百里以上。至於裸子植物（像松、杉類）的大粒花粉，只得等待強一點風了。

甜根子草露出黃色的花藥，待風來便可傳送花粉。

鴨跖草也能自花授粉，仔細瞧，柱頭和雄蕊正相互碰觸呢！

對風媒花來說，花粉可以遇上柱頭的機會可以說微乎其微，因此風媒花都具有大量的花粉，以提高受孕率；同時花序和葉也會有明顯落差，以免讓葉片形成授粉的干擾。有趣的是，雖然身爲風媒花，它們卻也無法拒絕鳥或昆蟲，不過有些鳥或昆蟲只是到雄蕊身上採採花粉，並不媒介授粉。

既然不用靠昆蟲來傳播，風媒花通常不必有醒目的外型。從另一方面來說，它的雄花沾滿了富含蛋白質的花粉，毋寧選擇樸素的外表以免引起鳥、蟲覬覦得好。一般來說，長在草原上的野花，由於受風情況佳，靠風力傳粉的植物比較多。

自花授粉

植物和動物一樣，爲了優秀的下一代，會盡量避免近親交配。於是同一朵花裡的雌蕊和雄蕊通常會以不同的成熟時間，或以位置上的差距來避免自花授粉。然而，倘若昆蟲和風的媒介失敗，自花授粉卻是確保留下後代的唯一方法。很多壽命短暫的一年生草花，以及生長在環境不穩定狀況下的荒地型植物，會有自花授粉的現象。而自花授粉又可分爲花朵不開放，就在花苞似的閉鎖花中授粉，以及花開後靠雄蕊或雌蕊的運動使花藥與柱頭相互碰觸的授粉方式。

種子的旅行方式

種子或果實的傳播也有各種方式，它們藉由各種構造或機制，再利用周遭的環境，幫助它們將種子帶到更遠的地方以擴展種族的領域。

風傳播型的種子或果實通常帶有翅或羽毛（棉毛），以助它在空中飛得更久、更遠。例如蒲公英、百合、蘭花、酸藤等。其中蘭科植物是所有植物中種子最輕的一種，它們的種子就像花粉粒般可以乘風飛翔，種子的數量以幾千、幾萬計，然而儘管如此，種子的發芽率卻十分低，野外自生的蘭花因而彌足珍貴。

附著傳播型的種子帶有毛或刺，有些更長出逆鉤刺和分泌黏液，以附著在動物身上藉以傳播運送。例如羊帶來、大花咸豐草。

被食型的果實乃靠色彩醒目、美味的果實，吸引鳥兒等動物來吃它並順便帶離種子。多數的核果、漿果都屬於這一類。它們的種子小而堅硬，會隨著鳥的糞便排出，此時，糞便便成了種子發芽初期的養份。

水傳播型的果實便是靠水流或海潮將果實推到遠處海岸。白水木、大萼旋花即屬於此類。這類長在河口、海濱的植物往往有大型的果實，而且具有浮水性。

自力傳播型的種子則以果實本身具有的各種機制，機械性地以自我的力量將種子散佈出去。各種鳳仙花、堇菜、牻牛兒苗便是典型的例子。它們的果實爲什麼具有彈力？種子彈出之後果皮變成什麼形狀？這些都是有趣的現象。

無論是花的授粉、種子傳播，野花的世界裡仍有太多已知或尚未被發現的秘密，以本篇短短的文字終究無法詳述，探究這些花兒的私生活，其實是觀賞野花最饒富趣味的部分了。

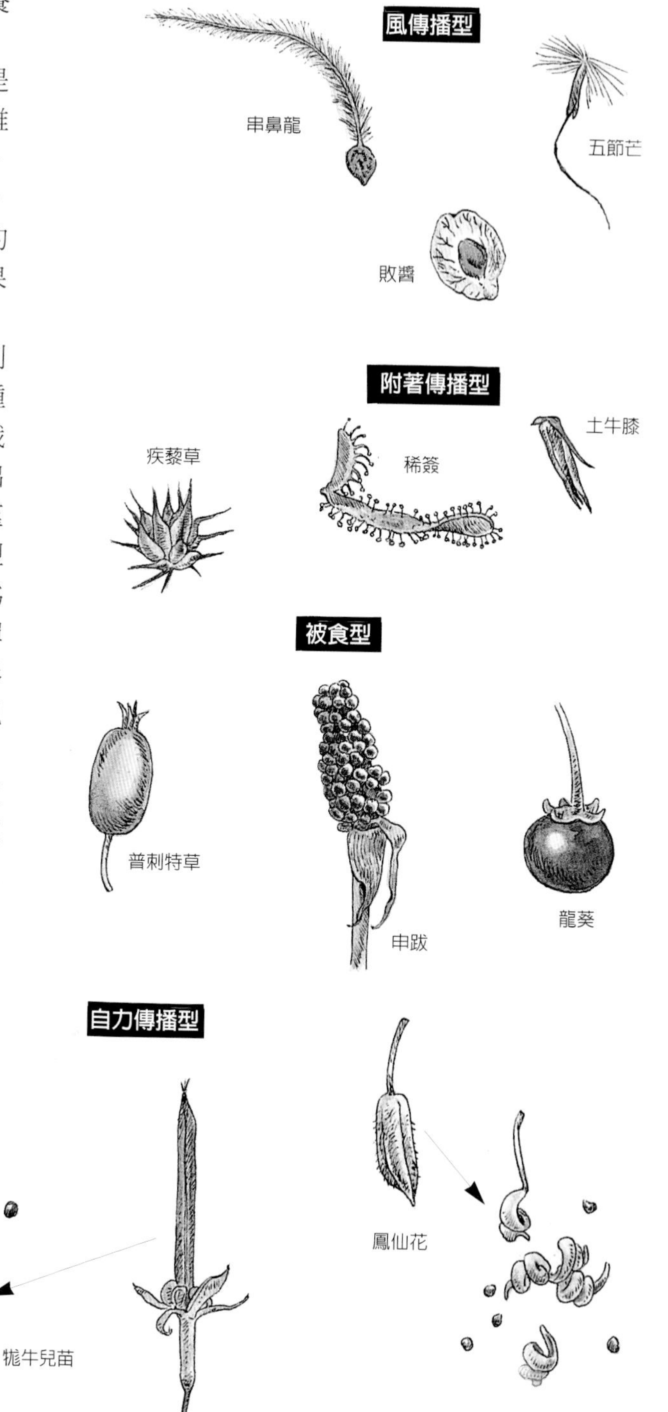

野花並不是單獨存在的個體，觀察野花之餘，還可一併記錄在附近活動的生物。

野花叢裡的生命

野花並非單獨存在的生命個體，它會在某個地點生長，也絕非偶然，而是眾多自然因子作用下的結果，所以觀察野花的私生活一定要有生態系的基本概念，才能在蛛絲馬跡中摸索出野花與其他生物的微妙關係。

野花的花朵不只是視覺上的美感而已，更重要的是它肩負傳宗接代的重責大任，所以一切的設計都是以達其繁衍生存的目的爲終極目標，而這也是觀察野花的最大樂趣和挑戰。首先，花朵綻放之後馬上面臨的是授粉的難題，要依賴風力還是傳粉的昆蟲，端視其演化的結果，由植株的構造上可以清楚看出脈絡。如果要依賴昆蟲授粉，花朵往往必須使出混身解數，以吸引傳粉者前來完成任務。有的以類似雌性昆蟲的性費洛蒙氣味吸引雄蟲，有的以類似昆蟲的外形魚目混珠，種種伎倆無不以繁衍爲目的，而這方面則以蘭花和昆蟲的共同演化最爲奇特。大多數野花多半以豐厚的花蜜、花粉爲回饋，不僅養活形形色色的昆蟲，也達成了授粉的目的。

授粉完成之後，種子的傳播又是另一重要關卡，種種精巧設計讓人嘆爲觀止，無怪乎會有植物學家稱呼植物爲「綠色行者」，完全不會移動的植物可以在地球的各個角落暢行無阻，不得不佩服它們的種子傳播機制，幾乎可以說是達到無孔不入的境界。

種子傳播方面與其他生物相關的部分，大多以果實誘引取食者爲主，多汁的肉質漿果是許多動物賴以爲生的食物，動物取食之後便會順道傳播種子，兩相得利。比較有趣的還有堇菜科植物的種子，會誘引螞蟻搬運而達其傳播

冇骨消與石牆蝶

台灣澤蘭與黑端豹斑蝶

的目的。

除了這些與野花繁衍有關的生物之外，植物本身常常也是許多生物的食物來源，因此觀察野花叢裡的生命，也同時可以拼湊出小小而錯綜複雜的迷你食物網。有些生物以在土壤中活動爲主，如蚯蚓、鼠婦和許許多多的微生物，有些以地面的腐植質爲主食，如蛞蝓、馬陸等小動物，還有以植物的莖、葉片和花朵、果實等爲食的大多數昆蟲，如常見的蝶類、蛾類、蚜蟲、瓢蟲、甲蟲、蝗蟲等。植物是所有食物網的基礎，在觀察野花與其他生物之間的關係時，作爲動物的食物來源往往是最容易看到的部分。

豐富的野花植被可以養活各式各樣的生物，還可進一步吸引以昆蟲爲食的掠食性動物，如螳螂、寄生蜂、蜘蛛、蛙類等，如此繁複的食物網便一步步在觀察下現形，而這也是自然觀察活動的最終目的。唯有瞭解各個生物之間的相互依存關係，才會眞切體會保存棲地完整的重要性。世界上沒有任何一種生命是可以單獨存在的，就連人類也是，而我們目前卻一一切斷各個食物鏈、食物網，難保那一天連我們自己也會賠上了。

「一花一世界」的詩人詞句其實頗接近自然的原貌。當我們置身野花叢裡，不僅要爲繁複的生命景象而感嘆，更重要的是要身體力行，爲保護台灣的繁茂植被而努力，除了減緩環境破壞的速度之外，更要逐步重建已遭破壞的部分，以重現福爾摩莎的美麗野花景致。

台灣澤蘭與蛾

春天的野花

春是水靈靈的野花季
飽滿的陽光和水氣　小小嬌嫩的花蕊
路旁野地　兔兒菜　鴨跖草和薺　一群群
探頭到花叢裡看看
蟲兒們也動了起來

黃鵪菜

菊科的頭狀花

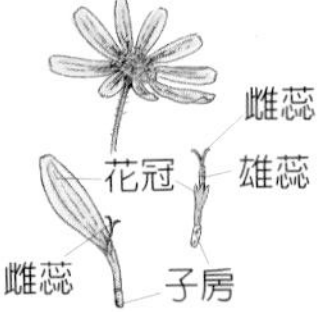

當黃鵪菜將一叢叢的葉張放在路旁、草地間，很少有人注意到它的存在。但是，一到早春便不同了，它那細長的花莖一旦猛往上抽，小小的黃色菊花陪著又多又密的小花苞，就似乎開不完似地在綠叢中閃耀。這是台灣平野最常見的菊科野花，花雖不大，但花兒多、花期長。

我們所見的菊科的「每一朵花」，事實上都是由很多小花聚集而成，並且排列呈頭狀。這些菊科的頭狀花序通常以三種形態出現：一是全由舌狀的小花組成，就像黃鵪菜、蒲公英；一是全由管狀的小花密集而成，像各種的薊、泥胡菜；一是由外圍的舌狀花和中央的管狀花共同組成，就像向日葵。菊科植物的另一個特色是：在花序下方有個總苞，將小花們堅固又密實地圈圍住，讓它們看起來就和「一朵花」沒什麼兩樣，但如此一來花的面積更大，目標也更明顯了！

黃鵪菜

科別：菊科
學名：*Youngia japonica*
英名：oriental hawksbeard
別名：山根龍、罩壁黃、黃瓜菜
類型：二年生草本
植株大小：20～100㎝長
生育環境：低海拔山野、荒廢向陽地、農田、路旁
花期：2～10月

莖與葉片
莖的特徵：莖直立，有稜
毛：全株有毛
葉的特徵：根生葉簇生，倒披針形，葉下半部羽狀深裂，有柄；莖生葉較少，披針形

花朵
著生位置：腋生或頂生，多數頭狀花排列成繖房狀圓錐花序
苞片：有
類型：雌雄同株
大小：徑7～8㎜（頭狀花）
顏色：黃色
花莖：頭狀花的花梗6～25㎜長；總梗十分細長
花被：每一頭狀花由17～19朵舌狀花組成
柱頭：2裂

果實
型態：瘦果，橢圓形，有白色冠毛，11～13稜

兔兒菜

同樣是由舌狀花構成的小野菊，兔兒菜的頭狀花比黃鵪菜大一倍，它全株光滑無毛，莖葉帶些粉綠色調，不開花時有點像小型的萵苣，是兔子愛吃的野菜。

它的果實長著長長的喙，上方頂著張開的白色冠毛，像顆綿球。這樣的果實特色也是多數菊科植物的特徵。

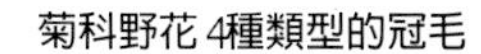

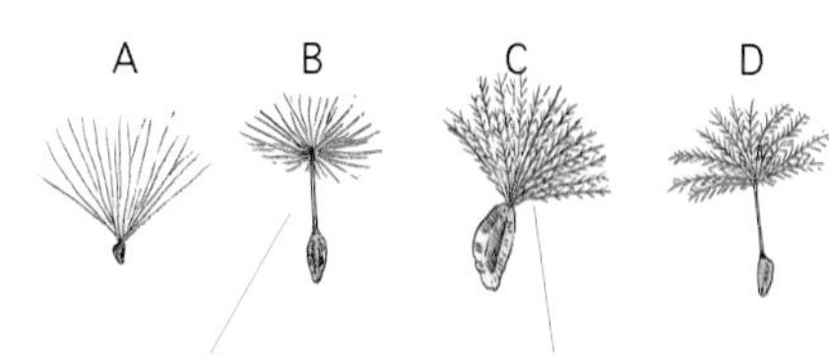

有長喙（例如兔兒菜、蒲公英）

冠毛呈羽毛狀（例如各種薊）

它們的果實乾燥不開裂（稱爲瘦果），成熟後便由頂端一圈由花萼變化成的冠毛帶著飛行，種子因此可以飛得更久、更遠，傳播的範圍也就更大了。

兔兒菜

科別：菊科
學名：*Ixeris chinensis*
英名：rabbit milkweed
別名：兔仔菜、鵝仔菜
類型：多年生草本
植株大小：20～60㎝
生育環境：荒廢向陽地、平地、農地、中低海拔山地皆可見
花期：全年，春夏為盛花期

莖與葉片
莖的特徵：全株具有乳汁
毛：無
葉的特徵：根生葉大而多，披針形；莖生葉小且稀疏，互生，略抱莖，亦是披針狀；葉略帶粉白色，長8～12㎝

花朵
著生位置：腋生，頭狀花呈疏鬆之聚繖狀排列
苞片：卵形或長披針形
類型：雌雄同株
大小：徑約1.5～2㎝
顏色：黃色
花莖：花序總梗十分細長
花被：頭狀花序全部由舌狀花所構成

果實
型態：瘦果細長，有白色冠毛及長喙，扁平，有10個稜
大小：4～6㎝長

苦蘵

苦蘵並非炫爛的草花，但它全身都散發著耐人尋味的鄉土氣。每年春夏季節，特別是在南部的平野、村落、田邊路旁，經常可以看到它掛滿小燈籠果實似的植株。

手握起一個氣球似的小燈籠，稍用力一捏，「剝」一聲，氣囊破了，這才瞧見裡頭眞正的果實。原來，在花朵謝了之後，基部小小的花萼卻一勁兒地長大，漸漸長成囊袋狀的外套將綠色果實包裹起來，好讓種子可以安心地在果實中成熟。

苦蘵原產熱帶美洲，目前廣泛分佈在溫暖地區。剝開它的外層花萼，裡頭成熟的果實可以生吃。

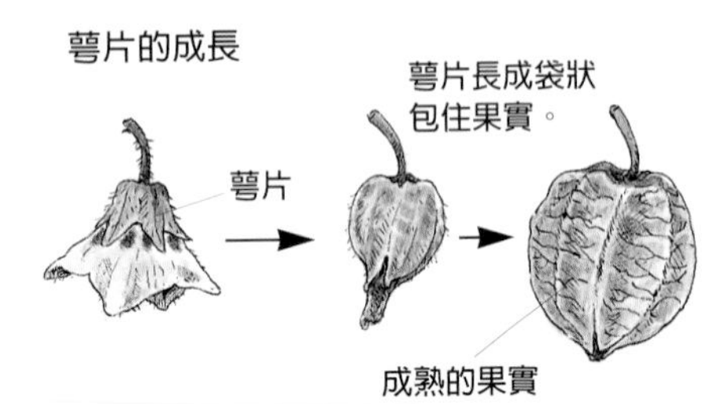

苦蘵

科別：茄科
學名：*Physalis angulata*
英名：cutleaf groundcherry
別名：燈籠草、蝶仔草、燈籠酸醬
類型：一年生草本
植株大小：40～90cm
生育環境：低海拔山野、荒地、路旁及田邊、海濱
花期：春～夏

莖與葉片
莖的特徵：莖上有稜
毛：全株具短柔毛
葉的特徵：互生，卵形，不規則鋸齒緣，3～6cm長

花朵
著生位置：單生於葉腋，向下開
類型：雌雄同株
大小：徑約5～10mm
顏色：黃白色
花莖：花梗長約2～3cm
花被：花萼鐘形，5淺裂；花冠輪形，內側有紫斑
雄蕊：5枚
子房：2室

果實
型態：漿果球形，綠黃色，包在膨大的宿存萼中，萼有10個稜
大小：徑約1cm；外圍的宿存萼長約3cm

禺毛茛

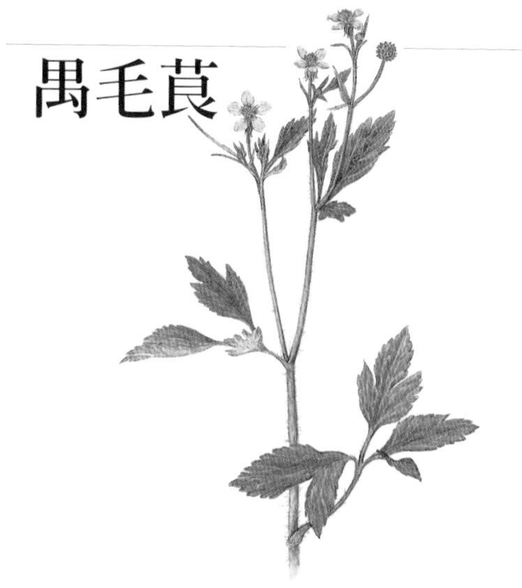

在潮濕的水溝邊或路旁，禺毛茛的莖葉模樣像極了芹菜。不過，當它亮出5片金黃花瓣，再加上由多數瘦果聚合成的球形小刺果，毛茛科毛茛屬的家族基因便一覽無遺。

「禺毛茛」雖然極普遍常見，但此名或許大多數人都感到陌生，以往它和揚子毛茛（*Ranunculus sieboldii*）經常同樣被稱爲「水辣菜」，爲了避免一再的混淆不清，植物學家們決定不再使用「水辣菜」一名，而採中國大陸的中文名稱。

台灣共有11種毛茛屬植物，禺毛茛、毛茛、石龍芮和小毛茛是常見的4種，在外形上也十分相近，後兩者全株光滑無毛，花托呈橢圓形。這類植物在演化史上是屬於比較原始的，它們和很多遠古的植物一樣，具有多數的雌蕊和雄蕊，於是，一朵花之後可結出多數的果實。你不妨將禺毛茛的小刺球一稜一稜的剝開，每一小片都是一個果實呢！

禺毛茛

科別：毛茛科
學名：*Ranunculus cantoniensis*
英名：Cantonese buttercup
別名：回回蒜、大本山芹菜
類型：一年生草本
植株大小：12～70cm
生育環境：全島低至高海拔潮濕地
花期：春

莖與葉片
莖的特徵：直上，莖與葉柄被有直立粗毛
毛：全株被有白色毛
葉的特徵：互生，三出複葉，小葉呈三深裂，葉緣有鈍鋸齒；葉上表面被疏毛，下表面被毛

花朵
著生位置：頂生，聚繖花序
類型：雌雄同株
大小：徑1.5cm
顏色：黃色
花莖：1～7cm
花被：花瓣、花萼各5枚
雄蕊：多數

果實
型態：瘦果，聚生在徑約1cm的球狀花托上，有稜及嘴狀鉤

小團扇薺

我們所熟悉的開「十字形花」的植物，像油菜、蘿蔔、山芥菜……，它們都有一個共同的特徵，那就是結出或長或短的角果（這和豆科的莢果不一樣，角果開裂後，可看到兩片果皮中間還有一層薄膜，隔開兩邊的種子）。然而像小團扇薺這種角果呈圓形扁平狀的十字花科成員，是相當稀罕的，因此，要是你在野外看到它，便能一眼認出。

春天才一走進，小團扇薺便立刻抽出花莖並迅速地開了花。沿著花序，下方才謝了的花朵又舉出角果，列成長長的一串。喜食野菜的人，不妨在初春或深冬，趁它未開花，莖葉還嫩時採來炒食，那辛香頗具野味。

小團扇薺和薺菜的花朵十分類似，兩者的角果型態都是十字花科中的特例，扁平的凹頭倒三角形和扁平的凹頭圓形，清楚標示了彼此的身分。

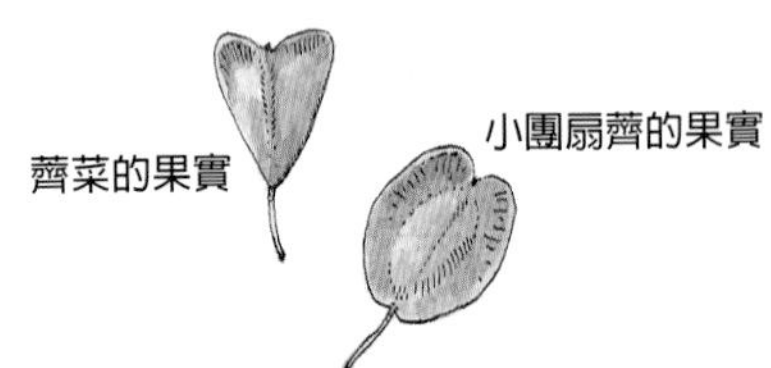

小團扇薺

科別：十字花科
學名：*Lepidium virginicum*
別名：獨行菜、北美獨行菜
類型：二年生草本
植株大小：20～80cm高
生育環境：中、北部之平野及海濱，常見成片生長
花期：春

莖與葉片

莖的特徵：莖上部具有多數分枝
葉的特徵：根生葉長橢圓狀披針形或線形，多數平舖地面，深鋸齒緣或全裂；莖生葉較小且幾乎無柄，具少數鋸齒或全緣

花朵

著生位置：頂生，總狀花序
類型：雌雄同株
大小：小花徑約1～2mm；花序長5～10cm
顏色：白色
花莖：小花梗長約0.4cm
花被：花萼、花瓣各4枚

果實

型態：短角果，圓形，扁平，上緣有狹翼
大小：徑約2.5mm
種子：扁平

益母草

「益母草」之名來自於民間常用它作爲婦人產前產後的保健藥方。姑不論藥材的功效如何，益母草開花時眞是特別。它的莖四角方正穩穩直立在原野上，緊密群聚的紫花搭著長長的葉，在莖上形成一輪又一輪的花環，無論從哪一面看去，都熱鬧英挺。

益母草的葉由下往上變化甚多，最特別的是基部的根生葉在花開時便自行枯萎。

民間另有栽培白花益母草，據說療效比益母草更佳。這種白花益母草，除了花色之外，外貌均和益母草相同。

益母草

科別：唇形科
學名：*Leonurus sibiricus*
英名：motherwort
別名：野天麻、芳蔚
類型：一或二年生草本
植株大小：50～150cm
生育環境：低海拔山野、路旁及海濱
花期：春～夏，2～4月為盛花期

莖與葉片
莖的特徵：有四稜
毛：全株被有白色伏生短毛
葉的特徵：對生，莖基部葉有長柄，不規則分裂，外輪廓略呈圓形；莖上部葉羽裂狀，裂片3～多枚

花朵
著生位置：小花朵密集輪生於莖上部的葉腋
苞片：刺狀
類型：雌雄同株
大小：花冠長約1cm
顏色：粉紅色
花被：花萼鐘狀；花冠唇形，下唇呈三裂
雄蕊：4枚

果實
型態：堅果，黑色
大小：長約2mm
種子：細小

石板菜

長得矮矮小小的石板菜是典型的海濱肉質植物，植株低矮和肉質的葉片，均是嚴苛海岸環境下的適應產物。分佈範圍以北海岸居多，尤其是石門、野柳一帶的石板菜，一到春天，開得繽紛熱鬧極了，燦爛的金黃色花團與凝重的海岸岩礫恰成對比，構成北海岸絕美的野外景致之一。

石板菜是景天科景天屬的成員。在台灣共有14種景天屬的植物，它們的花朵大多爲黃色，花形也十分類似。觀察石板菜的花朵時，不妨與夏秋盛放的玉山佛甲草（請見秋冬篇32頁）作一比較。

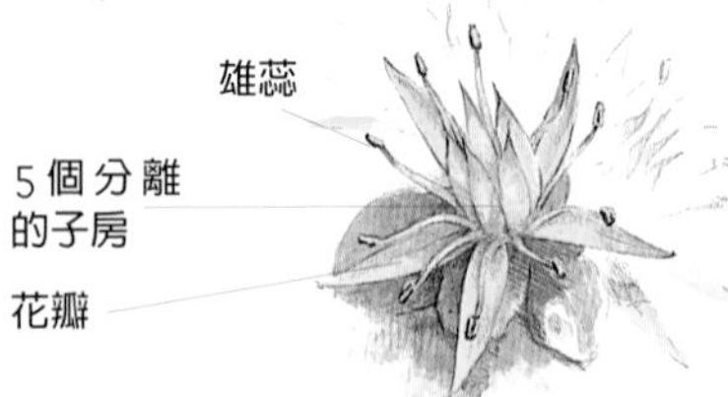

石板菜

科別：景天科
學名：*Sedum formosanum*
英名：formosan sedum
別名：台灣佛甲草、台灣景天、白豬母乳
類型：多年生草本
植株大小：10～15cm高
生育環境：海濱石縫、岩礫地，以北海岸的石門、野柳較多
花期：3～5月

莖與葉片
莖的特徵：肉質多分枝，叢生
根的特徵：四處伸竄的盤根
葉的特徵：倒卵形的肉質葉，黃綠色，密集生長

花朵
著生位置：聚繖花序，由多數小花聚生而成
苞片：葉狀
類型：雌雄同株
大小：花序5～8cm寬，小花徑約1cm
顏色：黃色
花莖：小花無花梗
花被：花瓣5片，窄披針形；萼片5枚，線狀披針形
雄蕊：10枚，比花瓣短很多
子房：5

果實
型態：蓇葖果4～5個，直立性
大小：0.2～0.5cm
種子：多數

海綠

櫻草科的花多半小巧美麗，雄蕊5枚皆與花瓣對生（大多數植物的雄蕊會和花瓣互生），在辨別時也許可以派上用場。

帶著琉璃色澤的碧藍色花瓣，圍著鮮黃的花藥、紫紅色的花冠中心和花絲，成了搶眼的搭配。海綠，花小卻不勢微，顏色和數量足以讓人過目難忘。而它的果，也是絕妙，成熟時橫向開裂，上半部就像鍋蓋似地打開、掉落，隨後，種子也就趁機散了出來。

海綠

科別：櫻草科（報春花科）
學名：*Anagallis arvensis*
英名：scarlet pimpernel
別名：琉璃繁縷
類型：一年生或二年生草本
植株大小：15～40㎝高
生育環境：中北部海邊及低海拔開闊地帶、農田
花期：春季

莖與葉片
莖的特徵：莖細長，方形，自基部分枝，全株覆有白粉、光滑
毛：花冠邊緣及花絲有毛
葉的特徵：葉對生，無葉柄，光滑無毛，葉片卵形，常向外反摺，全緣

花朵
著生位置：腋生，單出
類型：雌雄同株
大小：徑2㎝
顏色：藍紫色到紅色
花莖：2～3㎝長
花被：萼片5深裂；花瓣5深裂，裂片邊緣有細毛
雄蕊：5枚，花絲有紫色毛
柱頭：膨大
子房：圓球形，1室

果實
型態：蒴果，球形，中央橫向開裂
大小：徑約4㎜長
種子：表面有顆粒狀花紋，深褐色

列當

列當科的植物都是不含葉綠素的寄生性植物。出現在海岸、河床砂地的列當，通常都寄生在菊科茵蔯蒿的根部，因此，找到列當也幾乎可以同時發現一旁的茵蔯蒿。換句話說，當你看見茵蔯蒿，便可以仔細找找有無列當的影子。

列當全株單一直立，黃褐色的莖上長著退化的小小鱗片狀葉，不明白的人還以為這一整株是從地裡頭冒出的一串花穗呢！

列當

科別：列當科
學名：*Orobanche coerulescens*
英名：broom rape
別名：金剛拐、鬼見愁、獨根草
類型：一年生寄生性草本
植株大小：10～30cm高
生育環境：從海邊到高山都有分佈，尤其以砂質海岸最多，大多寄生在菊科茵蔯蒿的根部
花期：春季
莖與葉片
莖的特徵：直立，粗短，無分枝，基部肥厚，呈淡藍紫色
毛：全株被有白毛
葉的特徵：鱗片狀葉片，披針形或卵狀披針形，1～1.5cm長，有細白毛
花朵
著生位置：穗狀花序，外覆苞片
苞片：窄三角形
類型：雌雄同株
大小：花序長5～10cm
顏色：淡藍色或淡紫紅色
花被：花萼2裂，膜質；花冠筒上方膨大捲曲，上唇瓣寬，下唇瓣3裂，齒緣
雄蕊：2枚
果實
型態：蒴果，橢圓形
大小：1cm長
種子：小而多，圓球形

濱蘿蔔

從外型看來，濱蘿蔔簡直可說是野生的蘿蔔，只不過它的花比蘿蔔花要紫一些，花瓣的基部也比較細窄。然而也許是野生的關係，長出的蘿蔔根不僅不粗大，還相當堅硬，想食用恐怕也不可口。

雖然同是身爲十字花科的一份子，濱蘿蔔結的角果卻很不一樣，角果形狀像串念珠似地，在種子與種子之間纖細呈蜂腰狀。成熟以後角果並不開裂，而是當地面上的莖葉漸漸枯萎之後，長角果在腰處斷裂，一截一截掉落下來。

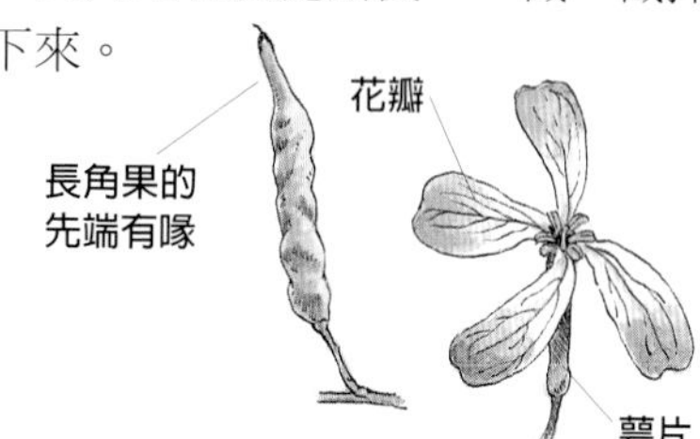

濱蘿蔔

科別：十字花科
學名：*Raphanus sativus var. raphanistroides*
別名：濱萊菔、野羅蔔
類型：一年生或二年生草本
植株大小：30～80cm高
生育環境：北部濱海地區
花期：3～4月

根與葉片
根的特徵：主根粗大，徑約5cm
葉的特徵：提琴形，羽狀裂，長5～20cm，兩面有毛，葉柄長2cm

花朵
著生位置：腋生或頂生，總狀花序
苞片：無
類型：雌雄同株
大小：2cm長
顏色：淡紅紫色
花被：花瓣4枚，倒卵形，上有紫色脈紋；萼片4，綠色
雄蕊：6枚

果實
型態：長角果，圓柱形，尖端有喙狀構造
大小：5～8cm長
種子：2～5粒，心形，2～3cm長

馬蹄金

馬蹄金極小的鐘形花冠

馬蹄金不僅出現在野地裡，甚至在花市賣草皮的攤子上也能發現它。由於它的葉形可愛，貼地性的蔓生能力很強，在庭園設計上已被廣泛使用。

葉形似馬蹄，花黃白色，馬蹄金細長的莖緊貼地面，既不會攀緣其他植物往上爬，耐蔭性又好，因此很適合作為茶園的水土保持植物或樹叢下的庭院草皮。

既然作為草皮植物，便少有人注意到它也開花。身為旋花科植物的一員，它的花顯得十分樸素且細小，與油綠可愛的葉片比起來，似乎略為遜色。

果實

馬蹄金

科別：旋花科
學名：*Dichondra micrantha*
英名：dumbell dichondra
別名：過牆風、葵苔
類型：多年生匍匐性草本
植株大小：成片蔓延
生育環境：草坪、耕地或路旁、山麓及平地
花期：春～夏

莖與葉片
莖的特徵：細長，有短毛
毛：全株具有細毛
葉的特徵：互生，圓腎形或圓心形，先端圓或微凹，基部心形，葉徑1～1.5cm，柄長1～4cm

花朵
著生位置：單生於葉腋
類型：雌雄同株
大小：花朵極細小，徑約3mm
顏色：白色，或略帶黃色
花被：花冠寬鐘形，5深裂；花萼倒卵狀長橢圓形
雄蕊：5枚

果實
型態：蒴果由2個分果構成，果上有宿存的花冠
種子：球形

箭葉堇菜

園藝栽培出來的各種堇菜，不僅花色多，花型也大。台灣野生的堇菜也有十幾種之多（全世界有400種以上的堇菜），從平地到高山都有分佈，箭葉堇菜便是低海拔平野、山區常見的一種。

堇菜類的花都有固定的型態，5枚花瓣中，最下方的唇瓣特別大，唇瓣基部伸成一個筒狀的距，這是隱藏花蜜的地方。大多數的堇菜會長出兩種型態的花苞。春夏之間，當堇菜開完花之後，又會伸出其他花苞，這些花苞無論你如何期待，它終究不會綻放，最後花苞裡的雄蕊和雌蕊便以「自花授粉」的方式，自行在裡頭完成「閉鎖式受精」，結出種子。雖然這種繁殖方式並不合乎優生學，但卻能確保受孕成功。聰明的堇菜總是兼具異花授粉和自花授粉兩種繁殖方式。

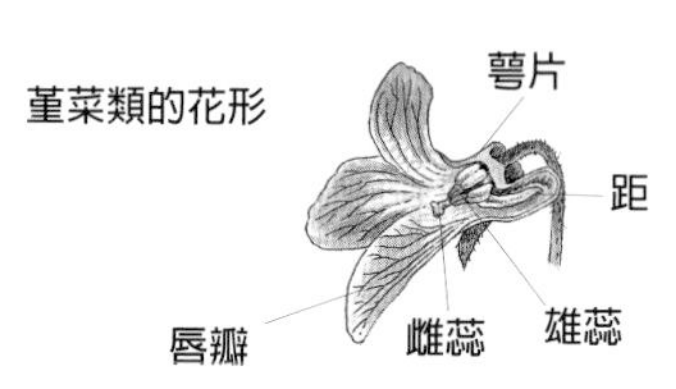

箭葉堇菜

科別：堇菜科
學名：*Viola inconspicua* subsp *nagasakiensis*
別名：小堇菜、戟葉紫花地丁
類型：多年生宿根性草本
植株大小：高約12cm
生育環境：全島平野及低海拔山區，以中、北部較多見
花期：冬末～春季

根、莖與葉片
莖的特徵：極短而不明顯
根的特徵：主根粗大
托葉：披針形
葉的特徵：戟狀箭形，長2～8cm，叢生，大株者多達25片葉，柄長3～15cm，鈍鋸齒緣

花朵
著生位置：由簇生葉間伸出，單生
類型：雌雄同株
大小：花瓣長1.2cm
顏色：紫色
花莖：花梗比葉長，可達20cm
花被：萼片披針形；花瓣5枚；距肥厚，長約0.3cm
雄蕊：5枚

果實
型態：蒴果，三角狀橢圓形，成熟時3裂
大小：長0.9cm
種子：多且細小

菲律賓堇菜

菲律賓堇菜和箭葉堇菜（請見前頁）無論花朵、葉片都很類似，也同樣是低海拔山區、平地常見的堇菜，要分辨這兩者，通常等抽出花莖便能清楚看出。箭葉堇菜的花莖比葉片（含葉柄）長很多，而菲律賓堇菜的花莖一般略與葉等長。

堇菜會開兩種型態的花，這兩種花同樣都自細長的莖頂向下垂視。等到果實成熟之後，蒴果會昂起頭來作好彈放種子的姿勢。

果實成熟時昂首作出彈放種子的準備。

菲律賓堇菜

科別：堇菜科
學名：*Viola confusa*
別名：戟葉堇菜、戟葉紫花地丁、疏毛堇菜
類型：多年生草本
植株大小：約15cm高
生育環境：廣泛分佈在全島低海拔地區
花期：春

莖與葉片
莖的特徵：極短，不明顯
托葉：披針形
葉的特徵：根生葉，廣卵狀心形至長橢圓狀心形，1～6cm長，柄長2～10cm

花朵
著生位置：由根基部直接抽出花莖，單生
苞片：線形
類型：雌雄同株
大小：徑約1.5cm
顏色：紅紫色
花莖：3～20cm長，約和葉片等長或較短
花被：萼片卵狀披針形，長5～6mm；花瓣長橢圓狀倒卵形，長約1cm
雄蕊：5枚

果實
型態：蒴果三角狀橢圓形

密花苧麻

春天，郊外常見的密花苧麻紛紛在葉腋間伸出長長的花序。隨著果實成熟，原本就帶著紅暈的綠花序又再染成紅褐色。

狹長粗糙的對生葉，粗厚茸茸的穗狀花序，是密花苧麻的主要辨認特徵。它們經常成群出現在荒廢地、河邊或山徑路旁。看見密花苧麻，不妨伸手摸摸看，那樣的葉面觸感幾乎是蕁麻類的表徵，而它的雌花帶著長長的花柱，看起來茸茸的花序密生成厚厚實實的一球一球，表面有點黏液。

密花苧麻

科別：蕁麻科
學名：*Boehmeria densiflora*
別名：山水柳、木苧麻
類型：常綠灌木
植株大小：可達2m高
生育環境：海拔1800m以下潮濕的山區林緣及原野、路旁
花期：3～5月

莖與葉片
莖的特徵：多分枝，枝直立
毛：枝幹多毛
托葉：2枚，在莖節處呈4枚輪生狀
葉的特徵：十字對生，長披針形，厚紙質，長7～15cm，兩面粗糙，細鋸齒緣，三出脈具短剛毛，葉柄紅褐色

花朵
著生位置：腋生，穗狀花序
類型：多數為雌雄異株
大小：雌花序長約10cm；雄花序長約7cm
顏色：黃綠色常帶紅暈
花被：雄花花被4裂；雌花花被管狀，先端2齒裂
雄蕊：雄花有雄蕊4枚
柱頭：長柱頭

果實
型態：瘦果，有明顯的毛，成熟時暗紅色，密集在果軸上，呈圓球狀
大小：4mm

台灣鳶尾

這是台灣唯一的野生鳶尾，散生在中部低海拔山區。每一朵花的壽命雖然只有幾天，但那高雅的淡紫色十分飄逸清爽。

鳶尾這類的花朵造型十分吸引人。6個花被片中，外側的3枚比較大而且呈現出斑點或網紋，通常這是辨認鳶尾品種的重要部位。最特別的是雌蕊的花柱竟然裂成3片花瓣狀，而雄蕊就著生在這瓣狀的花柱下隱藏著，乍看往往叫人誤以爲鳶尾長出3種不同型的花瓣，而且找不到雄蕊和雌蕊。

台灣鳶尾已漸趨稀少，若在野外發現，可千萬不要破壞它的生存環境或採摘回家。

台灣鳶尾

科別：鳶尾科
學名：*Iris formosana*
類型：多年生草本
植株大小：30～70cm高
生育環境：主要分佈於中部海拔500～1000m山區之林緣及林下
花期：春
莖與葉片
莖的特徵：單一直立，根莖橫走
葉的特徵：互生，劍形，長30～40cm，寬7～8cm

花朵
著生位置：頂生，圓錐花序
類型：雌雄同株
大小：大型花，約6cm寬
顏色：淡紫藍色
花被：6枚成內外側排列，外側3枚散生黃色斑紋，內側3枚披針形
雄蕊：3枚
柱頭：花柱3裂，裂片長2cm
果實
型態：蒴果長橢圓形，先端有宿存花被筒
大小：3～4cm長
種子：細小

血藤

藤本植物的主莖通常沒有一定的高度，它們本身無法向上直立，而是靠著特化的蔓莖、吸盤或捲鬚，以攀繞或旋捲的方式上昇。血藤便是用蔓莖攀緣其他林木以支撐它的身體。它的莖會流出淡紅色液體，因而有「血藤」之名。

每到春季，在它粗大的蔓莖上會開出大串懸垂的深紫色花，數一數，往往在20朵以上。花後結成的大型扁平莢果也十分壯觀。

血藤是台灣的原生植物，這類蔓莖藤本多數是喜歡日照的植物，一開始，它們在林野的開闊地生長，隨著後來冒出的林木逐漸長高，再藉由這些樹木的林冠將蔓莖支撐起來，此後，它們便停留在林冠上橫向發展。

血藤

科別：豆科
學名：*Mucuna macrocarpa*
英名：rusty leaf mucuna
別名：青山龍、大果禾雀花
類型：常綠大藤本
植株大小：長3～15m
生育環境：1500m以下之中低海拔闊葉林中
花期：3～5月

莖與葉片
莖的特徵：多分枝，小枝有鐵鏽色毛茸
毛：嫩枝及葉皆被有褐色毛
葉的特徵：三出複葉，頂小葉長橢圓形，長12～15cm

花朵
著生位置：從莖上伸出大型總狀花序，花15～30朵
類型：雌雄同株
大小：花序長達40cm
顏色：暗紫紅色
花莖：小花梗長2.5cm
花被：蝶形花，花萼鐵鏽色，長1cm；花冠約5cm
雄蕊：9+1枚的二體雄蕊

果實
型態：莢果，扁平狀，密被短柔毛，果期10～12月
大小：長約40cm，寬5cm
種子：黑色，2～6個

鼠麴草

2至4月這段期間，幾乎在農田、路旁、開闊的荒廢地上，都能找到鼠麴草，它的莖葉被覆著長長的白柔毛，一株株直挺挺地頂著滿頭小黃花。

菊科的鼠麴草開的自然也是頭狀花，但很特別的是包托著管狀小花的總苞片也呈黃色，所以一眼看去，彷彿莖端聚著金黃的小團團。

以往的農家習慣在清明時節用鼠麴草的嫩莖葉來做糕粿，那種特殊的「草粿香」散出濃濃的鄉村季節感。另有一種「鼠麴舅」，植株及生長環境都和鼠麴草類似，然而它身上的白綿毛既稀疏又短，莖葉不會呈現綠白色，它的頭狀花也是暗淡無光的茶褐味，不若鼠麴草耀眼。

鼠麴草

科別：菊科
學名：*Gnaphalium affine*
英名：cudweed
別名：清明草、黃花艾、鼠麴
類型：二年生草本
植株大小：15～40㎝長
生育環境：海拔2300m以下的田野、路旁、農田及荒廢地
花期：全年，以春夏最盛

莖與葉片
莖的特徵：莖基部分枝
毛：全株被白茸毛，呈現綠白色調
葉的特徵：互生，匙形至倒披針形，肉質，無柄，長2～6㎝

花朵
著生位置：每一分枝頂生一頭狀花排成的密繖房花序
苞片：總苞片長橢圓形
類型：雌雄同株
大小：頭狀花徑約1～1.5㎝
顏色：黃色
花被：兩性之管狀花先端5淺裂，位於花序中央；周圍有雌性之管狀花

果實
型態：瘦果，長圓形，具黃白色冠毛
大小：0.5㎜長

茯苓菜

茯苓菜不開花時也許不容易找得到，但是當那魚眼似的小頭花一亮出，你便會驚覺，這種小草是路旁、校園、山野到處都看得到。它的「魚眼睛」帶著一段小花梗，外圍那圈綠白色是由小小的舌狀花組成，中央的黃綠色管狀花則密集成醒目的「瞳孔」。

初春三月是採食茯苓菜的好時機，儘管它的嫩莖葉摸起來有微微的毛，但熱炒起來也還算可口。

茯苓菜

科別：菊科
學名：*Dichrocephala bicolor*
英名：pig's dichrocephala
別名：魚眼草
類型：一年生草本
植株大小：20～35cm
生育環境：平地至中海拔山區都有分佈
花期：春～秋

莖與葉片
莖的特徵：直立，多分枝
毛：全株被有短毛
托葉：無
葉的特徵：互生，莖下方的葉有長柄，羽狀分裂；莖上方的葉小而少分裂

花朵
著生位置：頂生或腋生，頭狀花序呈總狀排列
類型：雌雄同株
大小：直徑3～5mm
顏色：白綠中帶黃
花被：外圍舌狀花，中央為管狀花
柱頭：2裂
子房：長橢圓形

果實
型態：瘦果

苦滇菜

苦滇菜是全世界都可普遍看到的野草，它的葉雖然柔軟，但頗具個性造型。葉基部兩側伸展成尖尖的三角狀，夾抱住粗大中空的莖，不規則羽狀深裂的葉帶著鋸齒緣，一副銳不可當的長相。

菊科苦苣菜屬的頭狀花序全由舌狀花組成，雖然只是近2公分的大小，小花的數目竟在80枚以上。它的總苞和花柄有黏黏的腺毛。花謝之後總苞基部會膨起，待果實成熟，總苞片開始向外翻捲，拉出一團白色的冠毛，成為小瘦果的飛行裝備。

苦滇菜當然有苦味，折傷之後流出的白色乳汁便是苦澀所在。這類植物（像山萵苣也是）都可以是救荒野菜，但炒食前最好先浸泡鹽水或煮燙，雖有點苦，但也美味可口。

苦滇菜

科別：菊科
學名：*Sonchus oleraceus*
英名：common sowthistic
別名：苦菜、滇苦菜
類型：一或二年生草本
植株大小：50～80㎝高
生育環境：平地至低海拔的荒廢地或路旁
花期：春～夏

莖與葉片
莖的特徵：粗短，稍分枝，莖中空，外表有稜線，帶暗紫色
葉的特徵：葉互生，長橢圓形，10～25㎝長，不規則羽狀深裂，葉基抱莖，葉緣鋸齒狀，葉背粉白

花朵
著生位置：聚繖花序著生於莖端
苞片：總苞片有腺毛
類型：雌雄同株
大小：頭狀花徑約2～3㎝
顏色：黃色
花莖：1.5～5.5㎝長，有腺毛
花被：頭狀花全部由舌狀花構成
雄蕊：棒狀，具微刺

果實
型態：瘦果，長形，有8條稜，具白色冠毛
大小：2.5～3㎜長

昭和草

看昭和草彎曲下垂的串串頭花，不難想像它的莖該有多柔軟細嫩。嚐過多種野菜，昭和草那茼蒿菜似的滑嫩可口最讓人印象深刻。想要摘得嫩莖葉，得先辨認出尚未開花前的植株，帶點毛的葉，脈上流著微微的藍紫色調，記得了，餐桌上就多出一道野食。

總是在開發過的荒廢地上看到成片的昭和草。它的細小管狀花在1公分長的總苞外吐著磚紅色，一當果實成熟便翻出一團雪白棉球。鄉間的孩子不怕沒有蒲公英，昭和草的棉花團既多又好玩。

昭和草

科別：菊科
學名：*Crassocephalum rabens*
英名：nodding burnweed
別名：饑荒草、神仙菜
類型：一年生草本
植株大小：30～80㎝
生育環境：全島2500m以下之荒地、農地、原野草地
花期：春～夏

莖與葉片
莖的特徵：上部多分枝
毛：有
葉的特徵：互生，散生粗毛，長橢圓形或長橢圓披針形，基部葉片呈羽狀深裂，葉緣具深淺不一之不規則鋸齒

花朵
著生位置：頭狀花頂生或腋生，花序先端下垂
苞片：總苞片長約1㎝
類型：雌雄同株
大小：頭狀花約1.5㎝長
顏色：花冠上部紅褐色，下部白色
花莖：柔軟，至末端呈下垂狀，長2～3㎝
花被：頭狀花乃由細瘦的管狀花組成
柱頭：2裂，開裂後翻捲成一圈

果實
型態：瘦果，有白色冠毛

台灣胡麻花

早春上陽明山，一定能在路旁迎風潮濕的斜坡上看見這樣可愛的小花。天候尚冷涼，它淡雅的花朵已在霧中綻放。

這是百合科裡小型又美麗的草花，由幾朵小花聚成炫爛的花簇。屬於百合科的成員，通常擁有6枚花瓣，台灣胡麻花也是如此。開花之後，花莖更加伸長，花被片會變成淡綠色一直留到結果期，而當完成種子散播的工作之後，花莖和花朵便逐漸枯萎消失，直到翌年早春再燃起另一簇花團。因此，若非在春季，它的植株很難引人注目。

台灣胡麻花

科別：百合科
學名：*Heloniopsis umbellata*
類型：多年生草本
植株大小：4～8cm
生育環境：700～1200m北、中部潮濕山坡地
花期：2～5月

根、莖與葉片
莖的特徵：地下短走莖，不明顯
根的特徵：根系很長
毛：無
托葉：無
葉的特徵：光滑，卵圓形，簇生；葉背中肋明顯

花朵
著生位置：頂生，由5～9朵組成繖形花序
苞片：有
類型：雌雄同株
大小：每一朵小花1～1.5cm長
顏色：白色略帶粉紅
花莖：長12～15cm，綠色
花被：6片花瓣
雄蕊：6枚，花藥紫色
柱頭：盤狀，上有濃密細毛
子房：3室

果實
型態：蒴果，沿果實之縫線開裂
種子：數量多，有翅

烏來杜鵑

台灣野生的杜鵑以現有的記載約20種左右，若考慮同物異名的可能性，確定的種類也有15、16種之多。從平地到高山，一年四季幾乎都有不同的杜鵑在不同的海拔高度綻放，花型、花色豐富極了。然而我們所常見的公園、學校、安全島上的杜鵑，幾乎都是來自日本的平戶杜鵑、久留米或西洋杜鵑。

在所有台灣野生的杜鵑中，烏來杜鵑是分佈在低海拔、產地最狹隘、族群數量最少的一支。它原本侷限在烏來北勢溪沿岸，以鷺鷥潭爲主要產地，然而在翡翠水庫興建之後，近10年來已無野外發現的紀錄。目前，散見於台大校園、植物園、石碇、直潭、溪頭……等零星分佈的烏來杜鵑都是人工栽培植株。烏來杜鵑的野外復育計劃仍在進行中。

烏來杜鵑

科別：杜鵑花科
學名：*Rhododendron kanehirai*
英名：kanehira azalea
別名：柳葉杜鵑、石碇杜鵑
植株大小：常綠灌木
生育環境：特產於台灣北部北勢溪沿岸岩隙間
花期：3月

莖與葉片
莖的特徵：多分枝、小枝細長，常密生粗毛
毛：幼枝與花萼被粗毛
葉的特徵：披針形呈橢圓狀，有如柳葉，全緣，有緣毛，長3～4cm，寬0.6～0.9cm

花朵
著生位置：1～3朵頂生
類型：雌雄同株
大小：徑3～5cm
顏色：粉紅色
花被：花萼5裂，裂片三角形，被粗毛：花冠漏斗狀
雄蕊：10枚

果實
型態：蒴果卵形，被有軟毛

紅梅消

台灣的懸鉤子屬植物約有40多種，大多數都開白花，結橙紅色的果實。這類果實雖然可食，但大多數佈有毛茸，並不好吃。

紅梅消是低海拔山區的懸鉤子，它的花朵極易辨認，是懸鉤子中罕見的紫紅色；莖、枝、花萼則佈滿細銳的刺，偶爾從山徑旁的向陽坡面伸出紅橙橙的果實，一副鮮嫩可口的模樣。

當你想品嚐這灌木上的野草莓時，除了要小心花萼上的刺，不妨也仔細看看它的果實。一朵花之所以能結出由多數小果實集合成的聚合果（單花聚合果），秘訣就在於它的花朵中具有多數的雌蕊，而每一枚雌蕊都有可能獨立發育成小小的果實。

懸鉤子類的果實

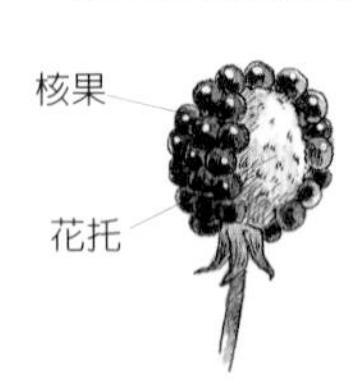

草莓的果實

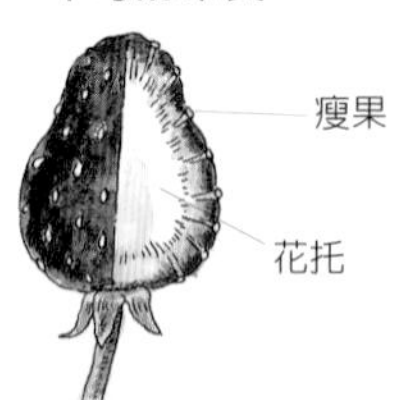

紅梅消

科別：薔薇科
學名：*Rubus parvifolius*
英名：Japanese raspberry
別名：茅莓、刺波頭、鹽波、野草莓
類型：攀緣性小灌木
植株大小：1m高
生育環境：低海拔山區林緣及荒地
花期：春～秋

莖與葉片

莖的特徵：有毛及鉤刺
托葉：線狀披針形
葉的特徵：互生，3～5出複葉，側小葉無柄，齒牙緣，葉面有微毛，葉背密生白絨毛，總柄長5～10cm

花朵

著生位置：頂生或腋生，聚繖花序
類型：雌雄同株
大小：徑1.8cm
顏色：紫紅或粉紅色
花莖：長約1.8cm
花被：花瓣5枚；萼片5裂，上下兩面有毛，綠色
雄蕊：多數

果實

型態：聚合核果，球形，成熟時橙紅色，有甜味

西番蓮

西番蓮即是我們熟悉的百香果。野生的百香果蔓爬在山野林間，到了夏天便結成暗紫紅色的果實，是登山野遊者所能找到最可口、營養的野果。

西番蓮的花開在春天，造型宛如一個設計精巧的時鐘，日本人稱它爲「時計草」。它最特殊之處便是花瓣內側多出的一輪細長捲鬚，這一層構造在植物學上稱爲「副花冠」。通常不論造型或顏色，副花冠都比花冠特別，以達到裝飾的效果。花朵最上方是巨型的三分叉狀柱頭，鎖定在肥厚的子房上，像是時針、分針和秒針。

住在郊區山野邊的人，不妨在春季多留意西番蓮的花，那麼便能等待接下來的甜美果實。那果實裡的細小種子被橙黃多汁的種衣包裹著，試一次努力地咬碎它，便能感受小種子堅硬的存在了！

西番蓮

科別：西番蓮科
學名：*Passiflora edulis*
英名：passion fruit, purple granadilla
別名：百香果、時鐘果
類型：多年生常綠蔓性藤本
植株大小：長可達10m以上
生育環境：1800m以下的山野
花期：春～夏

莖與葉片
莖的特徵：老莖灰褐色，粗大圓柱形，嫩莖有縱稜
葉的特徵：互生，幼株葉片橢圓形不分裂，長成後葉片呈三裂，細鋸齒緣，葉腋處長出綠色捲鬚

花朵
著生位置：單生於葉腋
苞片：3枚，淡綠色
類型：雌雄同株
大小：大型花，徑約5.5～6㎝
顏色：白色
花莖：長5～7㎝
花被：花萼、花瓣各5枚，萼與瓣幾乎完全相同，平展；副花冠為一輪細長的絲鬚，上紫下白
雄蕊：5枚
柱頭：3個巨型分叉
子房：位於雄蕊上方

果實
型態：漿果球形，成熟後紫紅色，夏～秋成熟
種子：具有黃色、多汁的假種皮

西番蓮類的花朵
造型像個時鐘

三角葉西番蓮

在西番蓮科中，三角葉西番蓮算是比較不醒目的一種，雖然它大量野生在林內、旱田或籬笆間，但由於花朵比較小且色彩樸素，果實也不大，因此較少有人注意到它，也鮮見到特意栽培的情況。

副花冠是西番蓮科的美麗所在。而樸素的三角葉西番蓮似乎連副花冠也平淡一些，小小的漿果並無任何特殊味道。它的老莖外包著黃白色的木栓層，於是又名「栓皮西番蓮」。

三角葉西番蓮

科別：西番蓮科
學名：*Passiflora suberosa*
英名：cork passionflower
別名：黑子仔藤、栓皮西番蓮、爬山藤
類型：多年生蔓性草本
植株大小：長可達8m
生育環境：普遍生長在平地至低海拔山區
花期：春～夏

莖與葉片
毛：莖、葉帶有少許毛茸
葉的特徵：互生，具短柄，葉身3裂，中央裂片較大，3主脈，裂片夾角呈直角，捲鬚自葉腋處長出，葉柄基部有一對腺點

花朵
著生位置：常成對著生於葉腋
類型：雌雄同株
大小：徑約1.5cm
顏色：淡綠色
花莖：有長梗1.2cm
花被：花萼、花瓣各5枚；副花冠短線狀，較花瓣短而稀疏
雄蕊：5枚
柱頭：頭狀，花柱3枚

果實
型態：漿果圓球形，成熟時黑紫色
大小：徑約1cm

申跋

天南星科植物通常都有一個引人注目的佛焰苞。佛焰苞是醒目的大型苞片，造型看起來像是佛像身後的背光。這一類的花都小而不起眼，甚至藏在佛焰苞裡根本看不到。眾多的雄花或雌花緊密地排列在肥大的花軸上，形成一條肉穗花序。我們熟知的姑婆芋、海芋、火鶴都是這類植物。

申跋是低海拔山區常見的佛焰苞家族，高舉的兩片三出複葉於早春時分便從中抽出佛焰花序，無論葉型或佛焰苞都十分獨特。

佛燄花序剖面圖

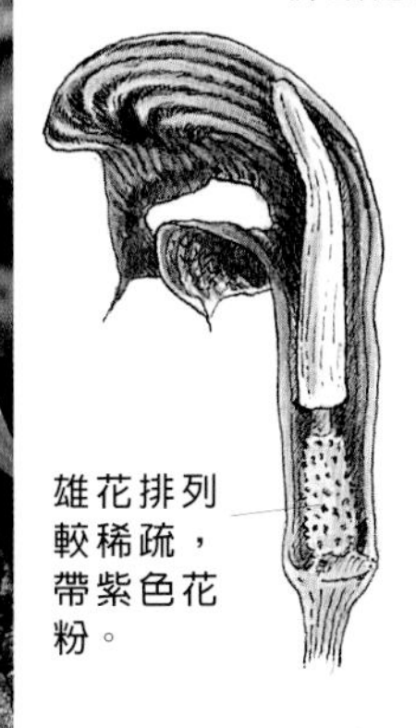

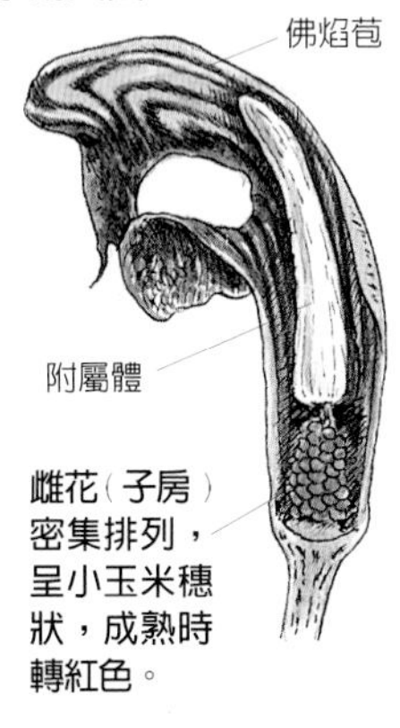

申跋

科別：天南星科
學名：*Arisaema ringens*
英名：small dragonroot
別名：油跋、小天南星
類型：多年生草本
生育環境：北中部及蘭嶼的低中海拔地區
花期：2～4月

莖與葉片

地下莖的特徵：扁球形塊莖
葉的特徵：柄長15～20㎝；三出複葉，只具2片葉，全緣或波狀緣，葉背白色

花朵

著生位置：單生，佛焰花序
苞片：佛焰苞圓筒形，先端捲曲，外被條紋
類型：雌雄同株
大小：佛焰苞長9～10㎝
顏色：佛焰苞暗紫～淡綠色，有白條紋
花莖：4～6㎝，單一直立
花被：無
雄蕊：雌蕊或雄蕊，皆呈穗狀花序排列

果實

型態：漿果，成熟時紅色

長行天南星

長行天南星分佈的海拔較高，且以中、北部山區爲主要據點。它的佛焰苞長鬚和單枝獨立的長柄葉是最大的辨認特徵。

除了別出心裁的佛焰苞之外，天南星屬的植物還有一個有趣的小秘密，那便是性別的問題。這類植物雖然也有雄株和雌株之分，但雌雄之別卻能由同一株自行變性，這個關鑑點乃取決於地下球莖的大小。通常當球莖還小時，植株開的是雄花，產生紫色的花粉；球莖變大之後，植株便開出雌花，一旦授粉，那佛焰苞內密集排列猶如小玉米穗的綠色子房會增大，而且漸漸成熟變成紅色。然而，結了果實的雌株由於消耗太多儲備的養份，地下球莖又變小了，於是翌年又變成雄株，開出雄花。當然，要知道眼前這棵天南星究竟性別爲何，就非得剝開佛焰苞或看看它的地下莖不可，通常若非進行植物研究，實在不用如此干擾它。

長行天南星

科別：天南星科
學名：*Arisaema consanguineum*
英名：dragon arum
別名：雷公統、長尾葉天南星
類型：多年生草本
植株大小：40～90cm高
生育環境：中北部中海拔林緣及路旁
花期：4～5月

莖與葉片

莖的特徵：塊莖扁球狀，徑5cm
葉的特徵：葉單生，全裂成掌狀複葉形態，小葉7～23片，狹披針形，長15～30cm，葉端長絲狀，葉柄直立長40～85cm，葉基部有透明膜質長鞘

花朵

著生位置：腋生，佛焰花序
類型：雌雄同株
顏色：佛焰苞紫褐色
花被：無
雄蕊：雄蕊與雌蕊皆呈穗狀花序排列；雄蕊較稀疏，雌蕊密集

果實

型態：漿果，成熟時紅色

台灣笑靨花

每年春季，笑靨花光禿禿的纖細枝條上密集簇放著雪白小花，像一條條的「雪柳」。

台灣笑靨花張著5片白花瓣，早春便笑臉迎人。花型看起來像李又像梅，它們同樣都屬於薔薇科植物。新葉在開花後才長出來，因此在盛花期間，斷崖峭壁上常見一片白茫茫如雲霧般的景象，春季到玉山國家公園，從父子斷崖、雲龍瀑布、觀高及塔塔加步道都能見到。公園梅山管理站後方的山壁間還可見到大片的花海。中橫、北橫也是比較容易賞花的路段。

台灣笑靨花

科別：薔薇科
學名：*Spiraea prunifolia* var. *pseudoprunifolia*
英名：Taiwan bridal wreath spiraea
別名：黃花繡線菊、假笑靨花、雪柳
類型：落葉小灌木
植株大小：1～2m高
生育環境：中低海拔向陽的岩崖邊或石礫地
花期：3～6月

莖與葉片
毛：嫩枝、葉、花均密被絹毛
葉的特徵：簇生於短側枝之梢端，長橢圓形，全緣或上半部細鋸齒緣

花朵
著生位置：4～8朵小花形成繖形花序，集簇於極短的側枝上
類型：雌雄同株
大小：徑約1㎝
顏色：白色
花莖：長約1㎝
花被：花瓣5枚，近於圓形；萼5裂，裂片三角狀
雄蕊：多數

果實
型態：蓇葖果，平滑
大小：長約2㎜

戟葉蓼

蓼科植物在辨認上有兩個主要的特徵：葉柄基部的托葉會變成膜質的鞘（托葉鞘）包住莖部；它們的花很小，沒有花瓣，而那帶有顏色、長得像花瓣似的萼片，即使在花期之後也不會凋謝，反而長大變成膜質將果實包住。因此，我們常會錯覺蓼科的花似乎開得很久很久。

戟葉蓼喜歡群聚在潮濕的水邊濕地或林緣，小花在莖端結成一團團，花的上部是紫紅色，下部白色。在蓼屬植物中，戟葉蓼、扛板歸和刺蓼莖上都有向下長的逆刺，前兩者的托葉鞘更是特別地擴展成葉狀，都是很重要的特徵。

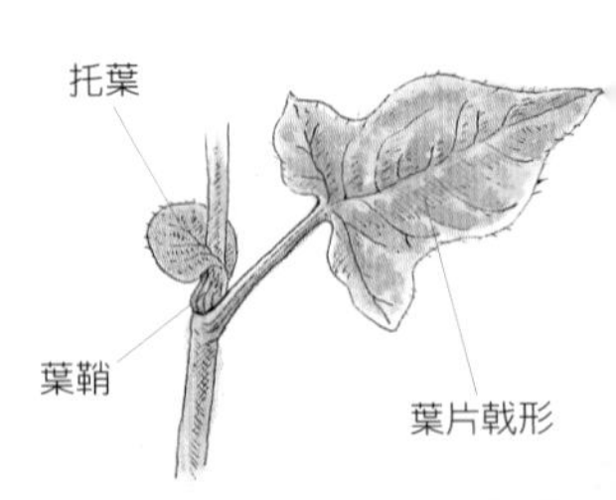

戟葉蓼

科別：蓼科
學名：*Polygonum thunbergii*
英名：thunberg's fleece flower
別名：水犁避、苦蕎麥
類型：一年生草本
生育環境：1500～2500m之林緣潮濕地
花期：3～4月

莖與葉片
莖的特徵：莖上有小逆刺，基部匍匐生長，節上生根，上部的莖直立或斜上
托葉：抱莖，短筒形，有時上部闊展成葉狀
葉的特徵：戟形，有尖端；兩面都有星狀毛和刺，葉柄長4～10㎝

花朵
著生位置：頂生，約10朵小花聚生
類型：雌雄同株
大小：小型花
顏色：粉紅或紫色
花莖：短
花被：萼片5裂
雄蕊：多數
柱頭：2裂
子房：圓球形

果實
型態：堅果，球形具3稜，包裹在花被片中

台灣溲疏

虎耳草科溲疏屬的植物在台灣有3種；台灣心基溲疏產在中、北部中低海拔森林中，花淡粉紅色；台灣溲疏和大葉溲疏（請見89頁）都開純白色的花，外形十分相近。

台灣溲疏喜歡潮濕遮蔭的地方，枝葉柔細，葉片呈薄紙質，這些略可與大葉溲疏作爲辨別依據。這兩者分佈的範圍極廣，春至初夏，從低至高海拔都能欣賞到溲疏的白花。

台灣溲疏

科別：虎耳草科（八仙花科）
學名：*Deutzia taiwanensis*
類型：落葉性灌木
植株大小：1.5～5m高
生育環境：300～2500m山區、林緣潮濕遮蔭處
花期：3～6月

莖與葉片
毛：全株被星狀毛
葉的特徵：對生，卵狀橢圓形至卵狀披針形，長5～8cm，冬季落葉

花朵
著生位置：頂生，圓錐花序
類型：雌雄同株
大小：花序可長達6cm，花瓣長約0.8cm
顏色：白色
花被：花瓣5枚，長橢形；花萼5裂
雄蕊：10枚，較花瓣略短

果實
型態：蒴果，近球形
大小：徑約0.3cm

金毛杜鵑

金毛杜鵑從低海拔到中高海拔皆有分佈，是台灣極常見的野生杜鵑，除了寒冬之外，全島各地幾乎都有陸續不斷的花朵開放，常形成灌叢上朱紅色的杜鵑花海。

全株密佈褐色腺毛與朱紅的花色，是金毛杜鵑的主要特徵。陽明山山區、石碇、北橫、中橫及南橫等地區皆十分常見。它的適應力極強，尤其能生存於瘠薄的土壤。即使在火燒跡地、崩坍地或河谷崖壁，也能花開滿樹。

金毛杜鵑

科別：杜鵑科
學名：*Rhododendron oldhamii*
英名：oldham azalea
別名：金毛躑躅、娥漢杜鵑
類型：落葉灌木
生育環境：2500m以下山區
花期：3～5月盛放，春～秋皆可見

莖與葉片
莖的特徵：小枝密被腺狀紅褐色扁毛
毛：具有刺毛、黏毛及短毛，毛色從銀白轉為金黃
葉的特徵：披針形長橢圓形至橢圓狀卵形，長3～8㎝，互生，叢生於枝端

花朵
著生位置：頂生，1～3朵呈繖形花序
類型：雌雄同株
顏色：朱紅
花莖：花梗基部為鱗芽所包
花被：花冠漏斗形，深5裂；萼片5裂，裂片披針形
雄蕊：10枚，長短不一
子房：有短柔毛

果實
型態：蒴果卵形，外被密毛茸
種子：長1～1.5㎝

西洋蒲公英

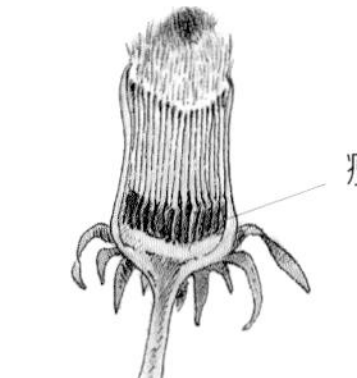

冠毛張開前的總苞剖面圖。花謝之後，果實在總苞中等待成熟。

菊科蒲公英屬的植物，在全世界共有400種之多，這些大部份分佈在北半球，它們都以展鋪在地面上的簇生葉，直立不分枝的花莖，小小舌狀花組成的頭狀花序和種子成熟時展開的棉花團，風行全世界。

台灣野生的蒲公英有兩種，北部安全島上常見的蒲公英是外來馴化的品種。西洋蒲公英雖來自歐洲，但由於它驚人的繁殖力（瘦果數量非常多），以及對惡劣環境的適應性，數量遠超過在地的台灣蒲公英。桃園以北的都會區自初春開始，安全島上時常可見西洋蒲公英。

蒲公英的花也有睡眠運動，陰雨天也同樣收縮著，每一朵花就在2至3天的壽命中反覆著開、合的動作。

西洋蒲公英

科別：菊科
學名：*Taraxacum officinale*
英名：dandelion
別名：蒲公英、蒲公草
類型：二年生或多年生草本
植株大小：30cm以下
生育環境：多見於都市安全島內、庭園草地
花期：冬末～春季
根、莖與葉片
莖的特徵：根莖很短，不明顯
根的特徵：粗大，單一或數條，側生根細而多
毛：全株光滑無毛
葉的特徵：貼近地面簇生，狹長橢圓形，長20～36cm，葉緣深裂成羽狀
花朵
著生位置：花莖由根莖先端伸出，單一
苞片：總苞綠色，線狀針形，總苞片向外翻捲
類型：雌雄同株
大小：徑約4～4.5cm
顏色：黃色
花莖：15～57cm
花被：舌狀花，鑿形，先端5淺裂，輪狀重疊
柱頭：2裂
果實
型態：瘦果，褐色，具長喙，有白色冠毛

台灣蒲公英

台灣蒲公英主要分佈在大甲溪以北的海濱砂地，在淡水、後龍一帶十分常見。它的頭狀花比西洋蒲公英稀疏得多，總苞片也直立不向外翻捲。

伏貼在地表，向四方展放的簇生葉，對蒲公英來說好處多多。一來簇生的葉十分耐踐踏；二來平展不招搖的葉除了可以避寒風，還可以在冬日盡量吸收陽光，等待春日來時結個飽滿的頭花。

蒲公英的葉多呈羽狀深裂，但隨著環境、個體差異也相當富於變化。一般來說，在低溫、乾燥、明亮的地方，葉多半較小而厚，裂片也較深；生長在高溫、多雨、微暗處的葉片，通常大而薄，裂片也比較淺。

隨著環境不同，蒲公英的葉形、大小、厚度相當富於變化。

台灣蒲公英

科別：菊科
學名：*Taraxacum formosanum*
英名：formosan dandelion
別名：蒲公草
類型：多年生草本
植株大小：高50cm以下
生育環境：山坡地及沙質海灘，散生於苗栗縣通霄鎮以北沿海
花期：4～9月

根、莖與葉片
莖的特徵：地下根莖短，生於地表下，全株有白色乳汁
根的特徵：蔓生，細長，主根長紡錘形或長圓柱形
毛：幼葉、總苞有毛
葉的特徵：葉根生，簇生狀，幼葉兩面有毛，倒披針形或倒披針狀線形，羽狀深裂，長8～20cm

花朵
著生位置：頭狀花，單生，由葉腋中伸出花莖
苞片：總苞線形或線狀披針形
類型：雌雄同株
大小：徑3.5～4.5cm
顏色：黃色
花莖：花莖數個，比葉片稍短或相同，約15～10cm
花被：舌狀花，邊緣5齒
柱頭：2裂，長
子房：長紡錘形

果實
型態：瘦果，長形，褐色，尖端有喙狀構造，亦有冠毛

半枝蓮

直立的莖上，兩兩成對並朝向同一側，直挺挺開出的一串20幾朵小紫花，是春季令人心動的野草。

這類唇形科的草花，多數抽出四角形的方莖，唇形花冠是它們共同的特徵。其中黃芩屬（例如耳挖草、半枝蓮）另有特別之處。仔細看看花朵基部的萼片，上萼片的背上鼓起一個半圓狀的附屬物；花謝之後萼片的上下兩唇會合閉，果實就藏在裡頭，待成熟之後，萼的上唇會脫落，只留著萼的下唇像個托盤似地盛載著種子，如此種子便隨時可以掉落出去。

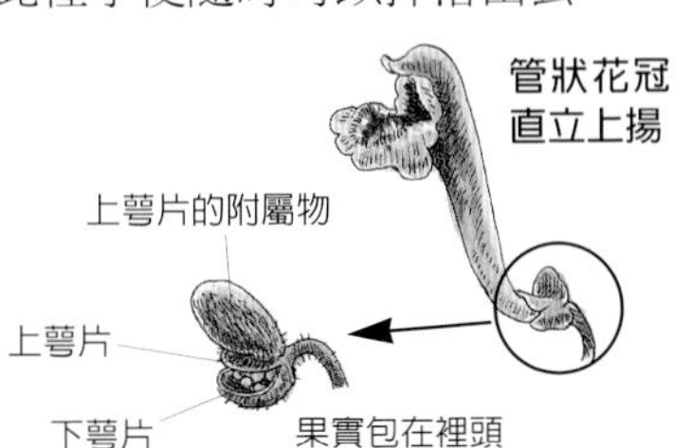

半枝蓮

科別：唇形花科
學名：*Scutellaria rivularis*
別名：向天盞、並頭草、乞丐碗、昨日荷草
類型：多年生草本
植株大小：約30㎝高
生育環境：北部、中部及東部的平原、庭園潮濕地
花期：4～5月

莖與葉片
莖的特徵：方形、直立
葉的特徵：對生，近無柄，卵狀披針形或三角狀卵形

花朵
著生位置：單生於莖上部葉狀苞片內，呈穗狀花序
苞片：葉狀，邊緣有毛
類型：雌雄同株
大小：花序長約15㎝
顏色：藍紫色或白色
花莖：有疏毛
花被：花萼管狀，2裂；花冠管狀，表面附有腺毛，2唇瓣，下唇有白斑
雄蕊：4枚，藏於上唇瓣內

果實
型態：堅果，扁球形
大小：0.1㎝寬

台灣假黃鵪菜

台灣假黃鵪菜可列爲稀有植物，多見於鵝鑾鼻以北的東海岸，在黑色石塊雜陳處或珊瑚礁岩地，常與其他海岸植物（如台灣灰毛豆、土丁桂……等）形成頗具規模的植物社會，可視爲東海岸的指標植物。

台灣假黃鵪菜具有走莖，且擅長生根分解礁岩，是很好的攀岩植物。

另有一種細葉假黃鵪菜，是東海岸常見的植物，它的形態與台灣假黃鵪菜十分相似，但葉片呈灰綠色、半肉質。

台灣假黃鵪菜

科別：菊科
學名：*Crepidiastrum taiwanianum*
英名：Taiwan crepidiastrum
類型：多年生草本
植株大小：長可達30cm
生育環境：台灣南部、東海岸珊瑚礁岩地
花期：3～5月

莖與葉片
莖的特徵：主莖蔓長而伏起，呈走莖形態
葉的特徵：根生葉叢生，長匙形，葉緣有鈍齒，兩面光滑，莖上的葉片小且具葉耳呈包莖狀

花朵
著生位置：花莖自根生葉腋抽出，頭狀花序呈繖房狀
苞片：卵形
類型：雌雄同株
大小：小花8mm長
顏色：黃色
花莖：多分枝，5～9mm長
花被：由多數舌狀花組成頭狀花序

果實
型態：瘦果有白色冠毛，有10肋
大小：3mm長

濱當歸

濱當歸在植物分類上屬於繖形科當歸屬，與大家熟悉的藥材植物「當歸」是同屬的兄弟，也是台灣5種當歸屬植物中唯一生活在海平面地帶，可算是比較容易觀察到的野生當歸屬植物，尤其在北部海岸的砂灘上十分常見。

濱當歸的頂生複繖形花序十分粗壯，是典型的繖形科植物特徵之一。濱當歸雖有當歸之名，但並沒有任何藥效，所以也沒有人採擷利用。

濱當歸

科別：繖形科
學名：*Angelica hirsutiflora*
別名：濱獨活
類型：多年生草本
植株大小：1～2m高
生育環境：北部濱海地帶及台東海岸
花期：3～4月

根、莖與葉片
莖的特徵：莖基部直徑約3～6㎝
根的特徵：地下根厚實，成塊莖
毛：花序密生短柔毛
葉的特徵：根生葉三角形，50～100㎝長，輪生羽狀複葉，葉緣細鋸齒，葉柄有明顯葉鞘

花朵
著生位置：頂生，複繖形花序，有濃密茸毛
苞片：總苞1～2枚，線狀披針形
類型：雌雄同株
顏色：白色
花莖：堅挺中空，花梗5～15㎝長，花序總梗長1m
花被：萼片齒狀，不明顯；花瓣卵形，5枚，背面有毛
雄蕊：花絲很長，約為花瓣的2倍，5枚，與花瓣互生
柱頭：短
子房：有粗毛

果實
型態：長橢圓形，具木栓化的翼
大小：6～8㎜長

爵床

原野的道路旁，爵床淡紫紅色的小花疏疏點點開在密生苞片的花序上，它的別名「鼠尾紅」便是來自這小小一截花與苞片交雜的短尾巴。

花序上明顯的苞片是爵床科植物的特徵之一，苞片的作用是為了保護花朵。春天的郊野，爵床的花隨處可見，看花穗上的特徵很快就能認出它。但是它的葉片變異頗大，有線形、披針形、橢圓形或卵圓形，有毛或者無毛。植物學家認為這些都是爵床的變種，於是另外又給它們更仔細的名稱，例如「狹葉鼠尾紅」、「早田氏鼠尾紅」。

花序上有明顯且多的苞片

爵床

科別：爵床科
學名：*Justicia procumbens*
英名：rat-tail willow
別名：鼠尾紅、麥穗紅
類型：一年生草本
植株大小：10～30cm
生育環境：平地、向陽荒地、低海拔山區路旁
花期：春～夏

莖與葉片

莖的特徵：多分枝，呈方形，直立或斜上
毛：全株被有微毛
葉的特徵：對生，橢圓形，卵形或近於圓形，全緣

花朵

著生位置：頂生，穗狀花序
苞片：花下有密生的苞片，線狀披針形，生有剛毛
類型：雌雄同株
大小：徑約0.5cm，花序長約3～7cm
顏色：紫紅色
花被：花冠2唇裂，外面有毛
雄蕊：2枚

果實

型態：蒴果，長橢圓形，成熟時2裂
大小：長約5mm
種子：4顆，灰褐色

紫花酢醬草

2月時，紫花酢醬草便已零星開花，到了較暖的3、4月，成片的紫花、可愛的倒心形葉隨處出現在庭園、路旁、花圃或甚至牆角。

是什麼樣的繁殖方式讓它數量這麼多？令人驚訝的是，儘管開花數量多，卻不見紫花酢醬草結種子。原來它有地下鱗莖，每年可以從鱗莖旁再長出很多小小的鱗莖出來，而每一個小鱗莖會再長出一株新的紫花酢醬草。這些鱗莖藏在土裡不斷繁殖，有時還會隨著土壤被傾倒或移至別處，這就難怪它的族群會如此龐大了。

酢醬草類的植物全株都帶有酸味，它們的嫩莖葉是酸酸的清爽野菜，而鱗莖下方長了一條粗粗的根，像小蘿蔔，有點甜。

紫花酢醬草

科別：酢醬草科
學名：*Oxalis corymbosa*
英名：lavender sorrel，violet wood-sorrel oxalis
別名：紫酢漿草、紅花鹽酸仔草
類型：多年生草本
植株大小：15～25cm
生育環境：平地、庭園或路旁
花期：冬～夏，以春季為主

根、莖與葉片
莖的特徵：無明顯的地上莖
根的特徵：主根粗大，上端有多數小鱗莖
毛：葉柄上有毛茸
葉的特徵：由根際叢生；有三片小葉呈倒心形；有長柄達18cm

花朵
著生位置：3至15朵花著生花莖頂端，略呈繖形花序
類型：雌雄同株
大小：徑1.5cm
顏色：粉紅或紫紅色
花莖：長而柔軟多汁，與葉柄略等長
花被：花萼與花瓣均為5片；花瓣有深紅色條紋
雄蕊：10枚，5長5短
柱頭：5裂

果實
在台灣不見結實

黃花酢醬草

黃花酢醬草的葉和花隨著匍匐的莖在地上蔓延，比紫花酢醬草小很多。花謝之後，花柄會下垂並在先端結一個往上舉的圓柱形蒴果。花、果經常同時可見。

酢醬草的蒴果成熟後會變乾燥，使果實內的容積變小，於是果實的心皮（果瓣）便具有彈性，只要稍有外力，心皮會急速捲曲，瞬間，果皮開裂並將種子彈放出來。若想試試這種彈力，不妨碰觸它看看。

這類植物的葉和花都會行睡眠運動，每到黃昏或陰暗的下雨天，小葉下垂閉合，小花也旋緊，一到清晨又水平張放了。

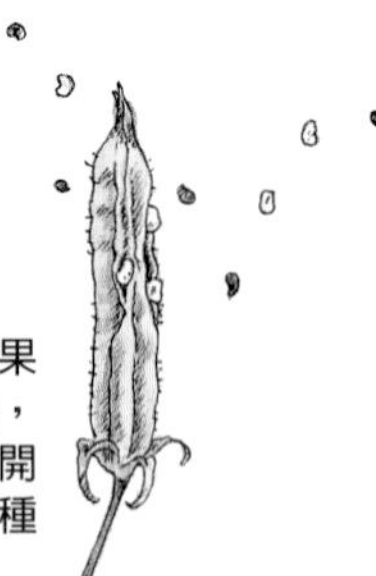
酢醬草科的植物當果實成熟、乾燥之後，心皮的接縫處會開裂，並瞬間彈出種子。

黃花酢醬草

科別：酢醬草科
學名：*Oxalis corniculata*
英名：creeping oxalis
別名：酢醬草、鹽酸草
類型：多年生匍匐性草本
生育環境：平地、低海拔地區普遍可見
花期：春～夏

莖與葉片
莖的特徵：橫臥地面
托葉：小型
葉的特徵：對生，具有長柄，小葉倒心形

花朵
著生位置：腋生或腋生，1～數朵排列在花梗頂端
類型：雌雄同株
大小：徑約8mm
顏色：黃色
花莖：總花梗0.8～15cm
花被：花萼與花瓣各5片
雄蕊：10枚
子房：5室

果實
型態：蒴果圓錐形，縱裂
種子：多，具有橫紋

小葉冷水麻

沿著牆角、石壁或水溝旁，在潮濕的角落，無論是遮蔭晦暗或豔陽高照，小葉冷水麻像從不停止生長似地繁衍。儘管少有人注意過它開花、結果，但事實上它的花多得像是潑灑在莖葉間的胡椒粉末。

整體看來，小葉冷水麻生就一副苔蘚的模樣，老是喜歡俯臥在人類四周的環境。它的根淺淺的，只需要一點點的土壤便能生長，老株一旦枯萎便立即長出新株，接著開花結果。因此，雖然它是一年生野草，卻經年見它生機盎然。

這樣好的生存特性，有些人喜歡用它來綠化盆栽的表土，增加植物的美觀。

小葉冷水麻

科別：蕁麻科
學名：*Pilea microphylla*
英名：artillery clearweed
別名：小葉冷水花、小水麻
類型：一年生草本
植株大小：高10㎝以下
生育環境：低海拔潮濕地帶，北部尤其多見
花期：全年，以春季最盛

莖與葉片

莖的特徵：直立或斜上，全株光滑，成群生長；莖多汁而柔軟，綠色，有稜
托葉：在葉柄之內側
葉的特徵：葉片很小，橢圓形，全緣，質薄，葉柄短，葉片呈兩列

花朵

著生位置：腋出，多數小花集合成頭狀的聚繖花序
類型：雌雄同株或異株
大小：1㎜長以內
顏色：綠色略帶紅色
花莖：幾乎沒有花莖
花被：雄花花被4枚；雌花花被3枚
雄蕊：雄花有雄蕊4枚

果實

型態：瘦果，扁形

菝葜

乾燥的坡堤或林緣、灌叢裡，喜歡陽光的菝葜常攀爬其間，它用葉柄基部由托葉變化成的捲鬚緊緊纏住其他植物，一路往陽光燦爛處走去。

黃綠色的花雖然不顯眼，但它的小花，無論雄株或雌株，都聚成一團團的繖形花序，造型仍十分搶眼。最引人注目的是它的小漿果，綠色的果實佈滿白粉，成熟後便轉深紅，它的喜氣和耐久性是中國式插花愛用的花材。

菝葜

科別：菝葜科
學名：*Smilax china*
英名：China-root greenbrier，China brier
別名：山歸來、金剛頂
類型：蔓性灌木
植株大小：長數公尺以上
生育環境：平地至低海拔山區之乾燥的林緣或灌叢、開闊地
花期：春

莖與葉片

莖的特徵：老莖木質化，具鉤刺
托葉：變化成一對捲鬚
葉的特徵：互生，有明顯的主脈3～5條；深綠色，有光澤，圓形至卵狀圓形，長5～10㎝

花朵

著生位置：腋生，小花呈繖形花序排列
類型：雌雄異株
大小：花序徑約6㎝
顏色：黃綠色
花莖：小花梗長約0.5㎝
花被：花被6片
雄蕊：雄花有6枚雄蕊；雌花有3枚退化沒有花藥的雄蕊
柱頭：雌花有花柱3枚
子房：3室

果實

型態：漿果球形，呈繖狀排列，熟後轉紅
大小：徑約8㎜

雷公根

說雷公根開的是像芹菜一樣的繖形花序，實在令人難以相信，它那蚶殼似的圓腎形葉片也許大家都熟悉，但是，花朵開在那裡呢？撥開葉片，就在莖節上那一團紅褐色不明物體，仔細看看就是它的花序。

由於花柄實在太短了，所以小花們都結成一團，再加上花瓣也太小，反而讓肥肥的子房嶄露頭角。整體來說，雷公根的花、果就是這樣毫不起眼地隱藏在葉下的莖節上。

雷公根的蔓延力十分可觀，莖節上不僅長葉、開花、結果，還長出不定根以吸收營養、固定植株，好讓前頭的莖繼續往前伸探。裸露的地上種些雷公根，很快就能達到綠化效果。

雷公根

科別：繖形科
學名：*Centella asiatica*
英名：asiatic centella
別名：蚶殼草、老公根、地棠草
類型：多年生匍匐性草本
生育環境：平地至1200m的山區
花期：3～6月

莖與葉片

莖的特徵：細長，帶有紫紅或紅褐色，節間長
毛：全株具有微毛
葉的特徵：簇生於莖節上，圓腎形，鈍鋸齒緣，柄可長達10cm

花朵

著生位置：由莖節葉腋上長出，由2～6朵排列成頭狀繖形花序
苞片：由2～3枚苞片組成總苞
類型：雌雄同株
大小：長約1mm，極小
顏色：紅褐色
花莖：極短，短於1cm
花被：花瓣5枚，比子房還小
雄蕊：5枚

果實

型態：離果，扁球形
種子：長0.2cm

小毛氈苔

在七星山四周，小毛氈苔幾乎隨處可見。平展、簇生在地面上的葉，長著密密長長的腺毛，抽出的花莖又細又長，直到頂端才開出一串紅色小花。捲曲的花序由下往上開，開了花的花軸就會直挺起來。

小毛氈苔屬於茅膏菜科，這類植物像毛氈苔、小毛氈苔、捕蠅草，都是食蟲性植物，它們靠葉上黏黏的腺毛來捕捉小昆蟲，再分泌蛋白質分解酵素來消化。由於主要以食蟲爲主，因此它們的葉綠素比較少，根部也較不發達。

肉食性的植物除了茅膏菜類，還有豬籠草類和瓶子草類。各式各樣的豬籠草，由於造型特殊，已成爲園藝栽培植物，而瓶子草在台灣幾乎很少看到。以茅膏菜類而言，台灣產有四種，小毛氈苔是最常見的，陽明山、內湖、北投、七星山一帶，在潮濕的山壁上經常可以找到。

小毛氈苔

科別：茅膏菜科
學名：*Drosera spathulata*
別名：金接梅、匙葉茅膏菜、石牡丹
類型：多年生草本
植株大小：如銅幣大小
生育環境：北部紅土台地山區悶熱濕地，尤以陽明山最常見
花期：4～6月

根、莖與葉片
莖的特徵：無莖
根的特徵：不發達
毛：葉片有黏質腺毛
托葉：膜質
葉的特徵：葉片層疊如蓮座般，匙形或倒卵狀匙形，呈紅色

花朵
著生位置：頂生，總狀花序，由多數小花組成，每株有1～4根花莖伸出
類型：雌雄同株
大小：4㎜長
顏色：紅色
花莖：10～15㎝長
花被：萼片鐘形，5裂，狹卵形，有腺毛；花瓣5枚，倒卵形
雄蕊：5枚
柱頭：3枚，每一柱頭2裂
子房：近球形

果實
型態：蒴果
大小：1.5㎜長

小薊

看小薊那一身羽狀缺刻，尖端帶銳刺的葉，正是所有菊科薊屬植物共同的特徵。這類菊科野花，頭狀花序都是由兩性的管狀花聚集而成。每一朵管狀花雖然極微小，但裡頭卻藏著巧妙機制。

仔細看花團上方細長密集的蕊絲，那正是雌蕊，而處於下方的雄蕊究竟要用什麼方法好將花粉散出來呢？雄蕊的花絲中具有「集粉毛」的特殊構造，當花朵受到外來的刺激（例如昆蟲停在花朵上），集粉毛便會在瞬間將花粉壓彈出去。當花粉散盡之後，雌蕊的花柱會伸得更長，進入雌性授粉期。

薊另一種引人的特徵便是球形飽滿、總苞片直上不翻捲、外表又黏黏的總苞。總苞的形態是薊屬植物辨認種別的重要特徵。

小薊

科別：菊科
學名：*Cirsium japonicum*
類型：多年生草本
植株大小：0.5～1m高
生育環境：低海拔山區，十分常見且多變
花期：4～5月

莖與葉片
莖的特徵：直立，分枝多，基部有濃密毛茸
毛：莖、葉被有白毛
葉的特徵：根生葉最大，長卵圓形，15～30cm長，葉緣深裂成齒狀，帶有銳刺

花朵
著生位置：單一的頭狀花，腋出或頂生
苞片：苞片6～7裂，線形，背面有黏性
類型：雌雄同株
大小：徑4～5cm
顏色：紫色或玫瑰紅
花被：管狀花密集成頭狀花序
柱頭：長形，2裂

果實
型態：瘦果，長形，有冠毛
大小：3mm長

台灣及己

四片葉子兩兩對生在莖頂，看起來宛如綠色的大花瓣，這就是台灣及己。從特徵來看，叫它「四葉蓮」似乎比較能記得牢。

四葉蓮的花雖然小得不起眼，但它下垂又分叉的花序和葉片搭配出極美的造型。春季，偶爾發現散生在林下的四葉蓮，必定讚嘆不已。

所有金粟蘭科的花，構造都十分簡單，沒有任何花萼、花瓣，只是由1枚雌蕊和1至3枚的雄蕊形成一朵花。從圖片中所見約略像白色細米粒狀的東西，便是台灣及己每一朵小小的花。

台灣及己

科別：金粟蘭科
學名：*Chloranthus oldhami*
英名：four-leaved chloranthus
別名：四葉葎、金粟蘭、四葉蓮
類型：多年生草本
植株大小：30～50cm高
生育環境：500～1000m闊葉林下層
花期：春～初夏（5～6月）

莖與葉片
莖的特徵：莖節處腫脹肥大
葉的特徵：無柄，4片兩兩對生在莖枝頂端，闊卵形，細鋸齒緣，長11cm，寬7cm

花朵
著生位置：自莖頂抽出2～3條穗狀花序，花序分叉
苞片：卵形
類型：雌雄同株
大小：花極小，穗狀花序8～14cm長
顏色：白色
花莖：小花無花梗，總花梗細長
花被：無花被
雄蕊：3枚

果實
型態：核果，倒卵形
大小：極小
種子：一粒

台灣土黨參

因有肥厚如參類的根，台灣土黨參才列上了「參」字輩。事實上，它也是漢方藥中頗具知名度的一帖，以台灣金錢豹、蜘蛛果之稱聞名。

台灣土黨參的花型，特別而有趣。裸露在外的子房，上頂著花冠、花柱與雄蕊；下襯著細長又帶著銳齒的萼片，開花數量雖然不多，但令人印象深刻。秋熟的紫黑色果實便是子房的擴大體，宿存的萼片讓它顯得光芒四射。在山區較陰涼的山徑坡邊，無論是開花期或結果期，都容易觀賞得到。

台灣土黨參

科別：桔梗科
學名：*Campanumoea lancifolia*
英名：formosan kakari
別名：台灣金錢豹、紅果參、土黨參、蜘蛛果
類型：多年生草本
植株大小：30～100㎝高
生育環境：中、低海拔山坡地、林蔭路旁
花期：4～6月

根、莖與葉片
莖的特徵：光滑無毛，直立
根的特徵：根部肥厚
毛：全株幾乎無毛
葉的特徵：對生，闊披針形，先端漸尖，細鋸齒緣，長6～10㎝，常作一邊歪斜

花朵
著生位置：頂生或腋生，花單一
類型：雌雄同株
大小：徑約1㎝
顏色：白或淡粉紅色
花莖：約1㎝
花被：萼片深5裂，裂片線狀披針形，齒狀緣；花冠鐘形，先端6裂，裂片三角形，尖端有白毛
雄蕊：6枚
柱頭：6裂反捲
子房：6室，有明顯6肋

果實
型態：漿果球形，熟時由紅紫色變紫黑色
大小：徑1～1.5㎝
種子：細小、多數

呂宋莢蒾

台灣有近10種莢蒾屬植物，都開白花，結紅果。經常往山區活動的人一定常看見它。喜歡插花的人，也一定熟悉它朱紅的小果實，秋冬季節，花店裡總少不了一枝枝「紅子莢蒾」。

呂宋莢蒾長在低至中海拔的山區路旁或林緣。它的花來得又多又快，只見3、4月才發新葉，不久枝葉間便孕出花蕾，才幾日，滿樹一團團白花掩映。初夏，白花轉成嫩綠果，入了深秋才成熟轉紅。殷紅的果實，小鳥愛吃，好奇的路人，順手摘來生食也可。

台灣常見的莢蒾有呂宋莢蒾、台灣莢蒾、太平山莢蒾、松田氏莢蒾，都分佈在中或低海拔山野，從葉形比較能看出彼此間的差異。

呂宋莢蒾

科別：忍冬科
學名：*Viburnum luzonicum*
英名：formosan viburnum
別名：紅子仔、紅子莢蒾
類型：落葉性灌木或小喬木
生育環境：300～2000m山區的林緣及路旁
花期：春

莖與葉片
毛：小枝及葉脈略有毛
葉的特徵：廣卵形或長橢圓形，先端尖，基部圓鈍，葉緣有尖銳鋸齒，葉背的葉脈上略有毛

花朵
著生位置：頂生，複聚繖花序，由多數小花組成
類型：雌雄同株
大小：每朵小花直徑0.3㎝
顏色：白至淡黃色
花被：花冠5裂；花萼有毛
雄蕊：5枚
柱頭：3裂

果實
型態：核果球形，成熟時深紅色，有光澤
大小：徑約0.5㎝

西施花

大多數的杜鵑花都喜歡長在空曠地，它們能適應酸性土，就連山壁、山崖、崩壞地、火災跡地，都能見到它們成片繁衍。而西施花是杜鵑花科裡比較耐蔭的一種，通常長在闊葉林或針、闊葉林下濕潤的環境。

西施花的分佈極爲普遍，陽明山、石碇、拉拉山、桃園北橫池端、台中、梨山、青山、屏東大武山、大漢山、花蓮碧綠、宜蘭太平山……都十分常見。花色在白至桃紅色之間。最特別的是，它的萼片常有花瓣化的現象，顏色也和花瓣一般。

西施花

科別：杜鵑花科
學名：*Rhododendron ellipticum*
英名：Taiwan rhododendron，Taiwan azalea
別名：青紫花、西施杜鵑
類型：常綠灌木或小喬木
植株大小：2～6m高
生育環境：160～2600m針、闊葉林下或闊葉林中濕潤的林緣
花期：3～4月

莖與葉片
莖的特徵：幼嫩枝條為褐色
毛：微被剛毛
葉的特徵：新葉紅紫色，倒披針形至橢圓形，革質，長約10～12cm，葉緣略反捲，老葉背面具有白粉

花朵
著生位置：2～3朵花集生枝端
類型：雌雄同株
大小：5～6cm
顏色：粉紅色
花莖：2.5～3.5cm長
花被：萼片光滑，5深裂；花冠漏斗形，5深裂，卵圓形
雄蕊：10枚
柱頭：膨大成頭狀
子房：圓柱形，光滑

果實
型態：蒴果，8～11月為果期
大小：0.5～2cm

台灣百合

春天裡的野百合，從海邊開到高山上。直挺挺的莖，水平開出的白色喇叭花，在野外十分醒目。像台灣百合這樣，既大型又美麗，還具有香氣，而且又經常群生一片的野花，是多麼難能可貴。

百合這一類的植物，除了花型和T字型著生的花藥很醒目外，另外一個主要的特徵就是地面下由多數肉質鱗片結聚成的鱗莖。它的地上部植株在開花、結果之後，就會慢慢乾枯成褐色，直到果實開裂散出種子，整個地上部的器官便告消失。而留在地下的鱗莖，明年自然會再長葉、開花結果；飄散出去的種子若能降落在適當的地方，隔年春天又是一棵新株。

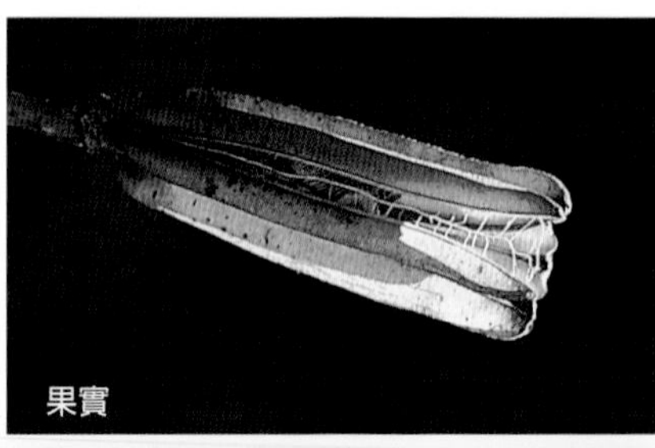
果實

台灣百合

科別：百合科
學名：*Lilium formosanum*
英名：Taiwan lili
別名：野百合、高砂百合、山蒜頭
類型：多年生球根植物
植株大小：80～150cm
生育環境：低至高海拔山野、平原均可見
花期：春～夏

莖與葉片
莖的特徵：地下鱗莖球形，地上莖直立不分枝
葉的特徵：互生，無柄，線狀披針形，長約10～20cm

花朵
著生位置：頂生，單朵或總狀花序
類型：雌雄同株
大小：長10～18cm
顏色：白色
花被：花被6片，成喇叭狀，兩輪交互排列，有5條紫褐色中肋，先端略反捲
雄蕊：6枚
柱頭：3裂

果實
型態：蒴果圓柱狀，成熟後自頂端3瓣裂
大小：長約3～4cm
種子：具有薄翅，多數

山素英

山素英和茉莉花是同科同屬的近親，花白色而且具有芳香氣，在中、南部的原野山麓十分常見。有些人還特地將它栽培成庭園植物，或架起蔭棚或讓它攀爬圍籬牆垣。

素白的花朵在造型上十分修長。細裂狀的花萼片在花謝後還留著迎接果實；長長的花冠筒先端垂直裂出長長的披針形瓣片，一朵朵小白花在蔓藤間吐露芬芳。想自行栽培它，可在秋末初春截一段枝條進行扦插，或等待果實成熟後採集種子播種。若有良好的日照及富含有機質的砂質壤土，便可以長得很好。

山素英

科別：木犀科
學名：*Jasminum hemsleyi*
英名：mountain jasmine
別名：白茉莉、白蘇英
類型：蔓性常綠灌木
植株大小：高約1m左右
生育環境：低、中海拔樹林中
花期：春～夏

莖與葉片
毛：全株光滑無毛
葉的特徵：對生，柄極短，卵狀橢圓形或卵狀披針形，葉面光滑，長2.5～5cm

花朵
著生位置：單朵或3、5朵簇生於枝條頂端的葉腋
類型：雌雄同株
大小：花筒、裂片各長約1.5～2cm
顏色：白色
花被：萼有刺毛；花冠裂成線形，裂片與花冠筒長度相當
雄蕊：2枚，藏於花冠筒中

果實
型態：漿果球形，成熟時黑色
大小：徑約6～7mm

雙花龍葵

蕃茄、刺茄、龍葵、雙花龍葵，這些茄科茄屬的花都十分小巧可愛。極短的花冠筒，先端裂成5瓣的輪形花冠，中央露出短短粗粗的5枚雄蕊，像一盞盞迷你小燈。

相較於花的小而樸素，茄屬的漿果則有令人深刻的顏色：刺茄的橙紅，龍葵的黑紫，雙花龍葵的深紅，都讓它們平凡的植株外表為之一亮。

雙花龍葵那周圍裂出十條線形的花萼，中央滿滿托著球形的綠色、紅色漿果。成熟的紅果實無毒可食，一副光滑剔透可口模樣，但事實上，味道極平淡。

雙花龍葵

科別：茄科
學名：*Solanum biflorum*
英名：two-flowered nightshade
別名：耳鉤草、紅絲線、十萼茄
類型：多年生草本
植株大小：60～100cm高
生育環境：中低海拔山區次生林、林緣、路旁
花期：4～8月

莖與葉片
莖的特徵：基部木質化
毛：全株被有淡黃色軟毛
葉的特徵：膜質，長橢圓狀卵形，6～13cm長，互生

花朵
著生位置：腋出，單生或成對
類型：雌雄同株
大小：徑1.5cm
顏色：白色
花莖：5～10mm長
花被：萼片杯狀，10裂，裂片線形；花冠漏斗狀，5裂，裂片卵狀三角形
雄蕊：5枚
柱頭：小
子房：2室，圓球狀

果實
型態：漿果，成熟時鮮紅色，圓球形
大小：徑7～10mm
種子：卵狀三角形

大葉溲疏

大葉溲疏比台灣溲疏（請見67頁）更需要陽光，因此它選擇開闊的平野、河床地、向陽的斜坡或山路旁生長。四、五月到太平山、阿里山或天祥、霧社野遊，那開在路旁的大葉溲疏花，一小片一小片地成為銀白色聚落。

大葉溲疏是典型的次生灌叢，自地面起就開始有很多分枝，冬季處於落葉期，春季萌芽後不久，便陸續開出白花一直到初夏。它的花和台灣溲疏幾乎一個模樣，但是整個花序更長，葉片也比較厚而硬挺。

由於分佈的範圍涵蓋了低、中、高海拔，因此花期有些差異。低海拔植株有些甚至在2月便陸續開花，而中海拔則在3、4月，中高海拔有些遲至5月才開。潔白花朵帶著淡淡清香。

大葉溲疏

科別：虎耳草科
學名：*Deutzia pulchra*
英名：evergreen deutzia
別名：白埔姜、常山、大花溲疏、百祥花
類型：常綠灌木或小喬木
植株大小：2～4m高
生育環境：700～2500m山區向陽的林緣及路旁
花期：3～5月

莖與葉片
莖的特徵：分枝細長，枝條有稜
葉的特徵：卵形，尾端漸尖，葉兩面有星狀毛，對生，表面粗糙，稀疏鋸齒緣

花朵
著生位置：頂生於枝端，圓錐花序
類型：雌雄同株
大小：花序長約8cm
顏色：白色
花莖：花軸有粗毛，花梗長4～6mm
花被：花萼5裂；花瓣5枚
柱頭：10枚
子房：5室

果實
型態：蒴果球形，具縱溝，9～11月成熟
種子：多數

台灣青莢葉

花朵長在葉片上，這並非奇蹟，台灣青莢葉就有花朵著生在葉主脈中央的特性。它的花，雌雄異株，通常雄花的數量比較多，5、6朵簇生在雄株的葉片中央，花梗也比雌花長；而雌花有時1朵，有時少數幾朵聚生在葉上，受孕的雌花就能結個小果實，替綠葉裝飾幾顆紫黑色的珠子。

幾乎所有的植物都將花朵開在枝條或花莖上，如果我們將葉脈也看成是莖的延伸構造，那麼在脈上長花也不無道理。想一睹「葉長花」，可以在春、夏季到溪頭、太平山、玉山國家公園這些陰濕的溪谷或林緣找一找。

台灣青莢葉

科別：山茱萸科
學名：*Helwingia japonica* subsp *formosana*
別名：葉長花
類型：落葉性灌木
植株大小：1.5～2m高
生育環境：1000～2000m中海拔森林中的溪谷及陰濕地
花期：春～夏

莖與葉片
莖的特徵：小枝綠而脆，全株成披蔓狀
葉的特徵：卵圓形，先端尖，葉緣有毛狀的細鋸齒

花朵
著生位置：繖形花序，著生在新葉的主脈上
類型：雌雄異株
大小：徑約0.5cm
顏色：黃綠色
花莖：雄花有長梗，雌花花梗很短
花被：小小的離瓣花；花瓣4枚
雄蕊：雄花有雄蕊4枚

果實
型態：核果，成熟時由綠轉黑，球狀
大小：3mm寬
種子：3～4個，狹長橢圓形，扁扁的

八角蓮

八角蓮喜歡溫暖潮濕的環境，早年在大屯山至七星山山區一帶都能發現大片族群，但由於它的造型特殊又是解毒藥材，目前野生的八角蓮已被大量採摘，所剩無幾。

它的葉和花都令人印象深刻。5至8朵殷紅下垂的花朵像是永遠張不開似地，懸掛在兩葉柄連接處。

台灣這類有特殊用途的野生植物，命運總是十分坎坷。其實，若藥材上有大量需求，應另做繁殖栽培，而不是濫採野外植株。秋季，當八角蓮的種子成熟時，先行採集，留待隔年春天再播種，並營造一個陰涼濕潤的幼苗環境，待長成，便能擁有美麗的植株。

八角蓮

科別：小蘗科
學名：*Dysosma pleiantha*
英名：mayapple
別名：葉下花、獨腳蓮、八角金盤、一把傘
類型：多年生草本
植株大小：約30㎝高
生育環境：中、北部及東部山區海拔1000～2500m陰濕闊葉林下
花期：4～5月

莖與葉片
莖的特徵：莖頂端2分叉，各生一葉；地下有匍匐的根狀莖
葉的特徵：盾狀，近似圓形，有6～8淺裂；裂片三角狀，邊緣有刺狀細齒，葉形似蓮葉，徑約30㎝

花朵
著生位置：5～8朵花簇生於兩葉柄交叉處
苞片：3枚
類型：雌雄同株
大小：徑約4～5㎝
顏色：深紫紅色
花莖：細而下垂
花被：下垂開展，萼片與花瓣各6枚
雄蕊：6枚
子房：淡黃色

果實
型態：漿果，長橢圓形
大小：長約2㎝

棣慕華鳳仙花

台灣所看得到的鳳仙花科植物，棣慕華鳳仙花也屬於比較少見的一種，它的命名是爲了紀念棣慕華教授。這種鳳仙花只狹隘地分佈在中北部山區陰暗的闊葉林下。然而即使少見，它的花朵與「距」讓人一眼就能看出它來自鳳仙花家族。

鳳仙花類的花都是由3枚花瓣與3枚萼片組成。萼片下方形成一個大大的袋狀物，前端再伸成筒狀的距。同樣是鳳仙花家族的成員，「距」卻是各形各色，變化多，因此它也是很好的辨認特徵。

這樣特殊的花朵造型，當然是爲了能順利讓昆蟲傳粉。當昆蟲鑽進花朵中吸取距中的蜜，那樣的位置正好可以讓雄蕊上的花粉附著在牠的背上。完成傳粉之後的雄蕊很快就會脫落，好露出包藏在裡頭的雌蕊，等待一隻背上帶著花粉的昆蟲進來。

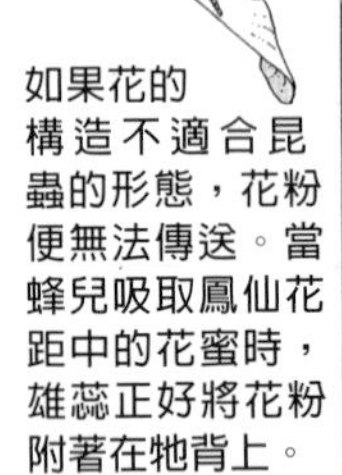

如果花的構造不適合昆蟲的形態，花粉便無法傳送。當蜂兒吸取鳳仙花距中的花蜜時，雄蕊正好將花粉附著在牠背上。

棣慕華鳳仙花

科別：鳳仙花科
學名：*Impatiens devolii*
類型：多年生草本
植株大小：30～60cm
生育環境：2000～2100m闊葉林下陰暗處
花期：4～10月，但7～10月為盛花期

莖與葉片
莖的特徵：略帶紅色，莖節部位膨大
葉的特徵：長橢圓形，5～14cm長，細鋸齒緣，有柄，主脈明顯

花朵
著生位置：頂生或腋生的總狀花序，3～6朵
苞片：4mm長
類型：雌雄同株
大小：徑約1cm
顏色：紫紅或粉紅色
花莖：很長
花被：花萼、花瓣各3枚；距伸直或略彎，長2.2cm
雄蕊：5枚，花絲於先端融合，包住雌蕊
子房：線形

果實
型態：蒴果
大小：2～2.5cm長
種子：長橢圓形，約0.3cm

水晶蘭

水晶蘭不是蘭花，更不是蕈類，它全身潔白沒有半點葉綠素，必須靠菌類的菌絲當媒介，間接從腐爛的植物中獲得營養，因此可以說是一種半腐生性植物。

低至高海拔潮溼的幽林中，偶爾能發現水晶蘭，通常在紅檜及冷杉林下最常見到。它的造型猶如立在地面上的水晶菸斗，微微下垂的花朵，單一掛在莖頂上，幽暗的林下因它發出亮光。

另有一種植物型態和水晶蘭類似，但帶著淡黃色，莖上開出數朵花，名爲「錫杖花」。錫杖花主要寄生在箭竹林中。兩者是同科同屬的植物。

水晶蘭

科別：鹿蹄草科
學名：*Cheilotheca humilis*
英名：monotropa
別名：單花錫杖花、銀龍草
類型：半腐生性植物
植株大小：7～20㎝高
生育環境：800～2000ｍ之森林林下
花期：春～夏

莖與葉片
莖的特徵：莖直立，不分枝
葉的特徵：葉退化成鱗片狀，互生，卵狀橢圓形至長橢圓狀菱形，互生

花朵
著生位置：單生於莖頂
類型：雌雄同株
大小：1.5～2㎝長
顏色：白色
花被：萼片1～3枚，長形；花瓣5枚，長楔形，內側有白毛
雄蕊：10枚
柱頭：花柱短而肥厚；柱頭膨大
子房：卵圓球形

果實
型態：漿果白色，卵圓球形
種子：卵圓球形，十分細小

耳挖草

花冠的前端分裂成兩唇，像張著嘴巴似地，這是唇形科的花形特徵。耳挖草和半枝蓮（請見71頁）爲同科同屬植物，在花朵的形態上十分相近。花冠的基部都是突然彎曲直立起來，總是在略爲日照良好的地方，見它小片生長。

耳挖草以中、北部山區較常見。它的花朵也是一樣朝同一個方向開，如果蹲下身來正視它的花朵，那花朵宛如淡紫色的波濤向前湧來一般，因而有「立浪草」之稱。

耳挖草

科別：唇形科
學名：*Scutellaria indica*
別名：煙管草、立浪草、印度黃芩
類型：多年生草本
植株大小：10～25cm高
生育環境：2200m以下之低中海拔山野及路旁，以北部地區較多
花期：春～夏

莖與葉片
莖的特徵：帶有紫色，被有柔毛
毛：全株被節狀毛
葉的特徵：對生，卵狀橢圓形，鈍鋸齒緣

花朵
著生位置：頂生，疏穗狀花序
苞片：葉狀，被毛，有腺點
類型：雌雄同株
大小：花序長約8cm
顏色：紫紅色
花莖：花有短柄
花被：花萼筒狀；花冠唇形
雄蕊：4枚

果實
型態：小堅果，卵形
大小：寬約0.4mm

蛇根草

蛇根草的花小小的，數量卻十分驚人。它不愛陽光，總是成片地在潮濕陰暗的林下生長。3、4月齊花怒放時，十足醒目。

何以名爲蛇根草？據說和藥用有關，它是民間用來治「飛蛇」（一種皮膚病）的良藥。是否如此，不得而知。

春至初夏，只要走入中海拔山區，蛇根草普遍易見。往北橫、南橫、溪頭、阿里山，沿線林下常能見到成片的小白花。這類茜草科的花朵通常不大，像仙丹花、六月雪、咖啡，也都細緻可愛。另外，葉對生（只有極少數輪生）並具有托葉是它們最大的特徵。而且往往托葉也和葉片同形，構成十字狀的排列。

蛇根草

科別：茜草科
學名：*Ophiorrhiza japonica*
英名：Japanese ophiorrhiza
別名：日本蛇根草、荷包花
類型：多年生草本
植株大小：15～35㎝高
生育環境：2500m中海拔山區陰濕的闊葉林下
花期：春～初夏

莖與葉片
莖的特徵：直立或斜立
托葉：線狀三角形，早落性
葉的特徵：對生，長橢圓狀披針形至橢圓形，兩端尖，中肋及側脈都很明顯

花朵
著生位置：頂生，聚繖花序
苞片：每個花序有3～7㎜長的線形苞片
類型：雌雄同株
大小：每朵小花長約1～1.5㎝
顏色：白色略帶粉紅
花莖：小花梗1㎜長
花被：花冠漏斗狀，先端5裂，內側有毛；花萼5裂
雄蕊：5枚
柱頭：2裂

果實
型態：蒴果，表面光滑
大小：1㎝寬

台灣一葉蘭

蘭科的花儘管大小相差甚多，但基本上都由6枚瓣狀的被片構成。其中最富吸引力的是就是「唇瓣」。唇瓣的色彩通常比其他被片鮮豔突出，形狀、構造都十分有趣。那麼，蘭花的雄蕊、雌蕊在哪裡呢？蘭花有個最獨一無二的構造——蕊柱，它結合了雌蕊、雄蕊，共同長在一個或長或短的棒狀先端。這個部位便是辨認蘭科植物最主要特徵。

台灣一葉蘭是中海拔原生蘭之一，它的唇瓣十分特別，捲成喇叭狀包住上方的蕊柱，又露出內側明顯的黃斑。每年春季，花軸自假球莖基部抽出之後，葉片才慢慢開展，一葉一花莖，往往成片與苔蘚混生。事實上，若非人為迫害，一葉蘭的繁殖力乃所向無敵，它既可用球莖行無性繁殖，也能開花結果靠種子傳播。

目前野外的一葉蘭並不多見，阿里山、溪頭、梅峰均闢有一葉蘭保護區，春季花期，可順道拜訪。

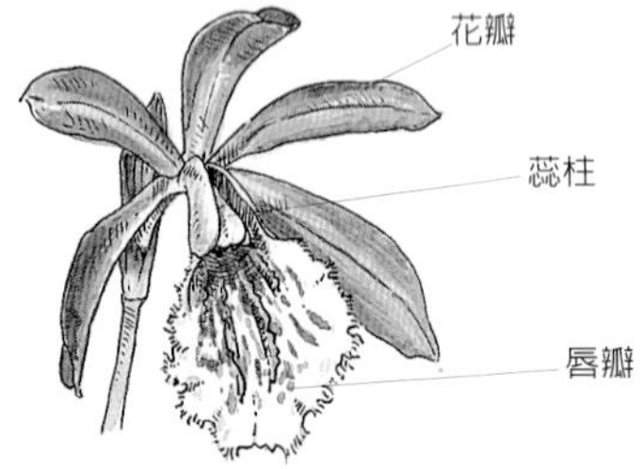

台灣一葉蘭

科別：蘭科
學名：*Pleione formosana*
英名：Taiwan pleione
別名：台灣慈姑蘭、山慈姑
類型：多年生宿根草本
植株大小：10～20㎝高
生育環境：1500～2500m中海拔潮濕多苔的樹幹或石壁上
花期：3～4月

莖與葉片
莖的特徵：假球莖徑2～4㎝，深紫或暗綠色
葉的特徵：葉單一，有5條主脈，多數縱皺摺，倒披針形至窄橢圓形

花朵
著生位置：頂生1朵或2、3朵花
苞片：長橢圓形
類型：雌雄同株
大小：花序高約6㎝
顏色：粉紅色
花莖：花莖短，包在葉鞘內
花被：萼瓣匙形或倒披針形；唇瓣喇叭狀，末端邊緣有短鬚

果實
型態：蒴果紡錘形，果柄長達15㎝
大小：4㎝長

台灣蝴蝶蘭

台灣的野生蘭約有320種，都屬於多年生草本，從生長的形態上，可歸類爲地生蘭和著生蘭兩類。台灣蝴蝶蘭乃著生於濕度高的森林枝幹上。蘭花有根有綠葉，可以行光合作用，依附在其他植物體只爲了做爲支持和便於接受陽光，樹皮上堆積的廢物是部份的營養來源。

全世界原生種的蝴蝶蘭有50多種，花色極豐富，台灣蝴蝶蘭爲白色系，早年在林中十分多見。然而1952、53年連獲兩年蘭展首獎之後，野生植株已逐漸因濫採而消聲匿跡，就連當年因盛產蝴蝶蘭而改名蘭嶼的紅頭嶼，也大不如前。儘管花市、住家裡栽培的蘭花越來越多，但蘭花在野外的數量卻大幅減少。

台灣蝴蝶蘭

科別：蘭科
學名：*Phalaenopsis aphrodite*
類型：著生蘭
生育環境：原產於蘭嶼及恆春半島、台東海岸山脈之原始叢林內
花期：4～6月

根、莖與葉片
莖的特徵：短且被緊密的葉鞘包被
根的特徵：根發達，肉質，常有分枝
葉的特徵：通常3～4片，多至9片，綠色有光澤，橢圓狀卵形或長橢圓形，10～20㎝長

花朵
著生位置：單出，總狀花序
苞片：鱗片狀，3㎜長
類型：雌雄同株
大小：徑約6㎝
顏色：白色
花莖：彎曲或懸垂，長約20～50㎝
花被：花苞卵狀三角形；唇瓣裂成三裂片，中裂片先端形成二條長捲鬚；花瓣寬，近似圓形

果實
型態：蒴果
大小：13㎝長

台灣茶藨子

台灣茶藨子有玲瓏剔透的果實，酸酸甜甜的，不知曾讓多少秋季登高山的人生津止渴。奇萊山、雪山、合歡山都能找到它，只要看過一眼，絕對印象深刻。無論是在冬季看到它佈滿銳刺的落葉枝椏，或是在春季看見懸滿枝條上的小花，還是在夏秋季末帶著枯萎萼片的果實，台灣茶藨子的一年四季，精采極了。

台灣茶藨子

科別：虎耳草科
學名：*Ribes formosanum*
別名：台灣醋栗
類型：落葉性灌木
植株大小：2m高
生育環境：海拔3000～3900m的高山，以冷杉林下及道路兩旁最常見
花期：3～5月

莖與葉片
莖的特徵：直立，莖上長有三分歧銳刺
葉的特徵：闊卵形，1～3枚叢生在短枝條先端，邊緣有淺3裂或淺5裂，葉柄上佈有粗毛

花朵
著生位置：單生，一朵朵下垂生長在短枝的葉腋上
苞片：一對小苞片
類型：雌雄同株
大小：徑約5mm
顏色：白色
花莖：1～1.5cm
花被：萼片長筒狀，基部膨大而包被子房，先端5裂；花瓣鱗片狀，5枚
雄蕊：5枚
柱頭：2叉
子房：1室多胚珠

果實
型態：漿果球形，成熟時鮮紅色，帶著殘存的萼片
大小：徑1～1.5cm

水竹葉

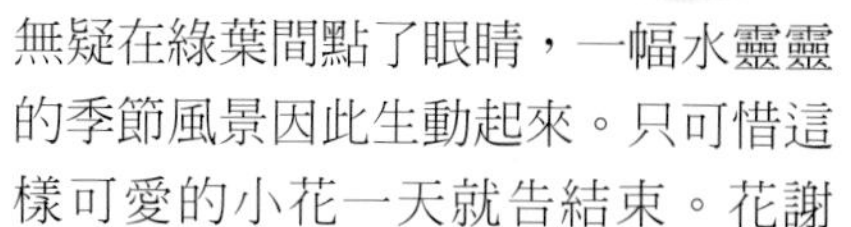

水田邊、潮濕地，水竹葉匐匍的莖端斜斜往上舉，當三瓣花兒張放時，無疑在綠葉間點了眼睛，一幅水靈靈的季節風景因此生動起來。只可惜這樣可愛的小花一天就告結束。花謝後，花梗會彎曲，不久便懸掛一個橢圓形蒴果。

鴨跖草科植物都具有透明的葉鞘和特別的花——花瓣為3的倍數，顏色也多是清爽俐落的白、藍或粉紅，因此栽培出來的園藝品種相當多，是頗受歡迎的盆花植物。

台灣野生的鴨跖草科植物有21種之多，水竹葉、鴨跖草、竹仔菜皆十分常見。

水竹葉

科別：鴨跖草科
學名：*Murdannia keisak*
英名：water murdannia
別名：竹頭草、疣草
類型：一年生草本
植株大小：10～50㎝高
生育環境：潮濕的水邊、田埂或向陽潮濕草坪
花期：春～夏

莖與葉片

莖的特徵：長而多分枝，基部匍匐生長，帶有紫紅色
葉的特徵：狹披針形，先端尖，基部鞘狀抱莖，互生

花朵

著生位置：單生，或2～3朵簇生於莖端葉腋
苞片：雌雄同株
大小：徑約1.3㎝
顏色：淡粉紅或淡紫色
花莖：1.5～3㎝長
花被：花萼3片，披針形；花瓣3枚，倒卵圓形
雄蕊：6枚
柱頭：頭狀
子房：3室

果實

型態：蒴果，橢圓形
大小：約1㎝長
種子：扁平光滑

鴨跖草

鴨跖草的花實在既特別又有趣。它的3片花瓣有2片大大的，著上少見的深藍色；下方的一片白色、小小的，一不注意便找不到。6枚雄蕊中，有3枚花藥呈鮮黃色，雖然醒目卻是沒有花粉的假雄蕊，真正的雄蕊和雌蕊一樣長長的，顏色卻不起眼。

它的花序外頭看不見，瞧，有個折成船狀與葉片對生的綠色苞片，花序便包藏在裡頭，它一次只露出一朵花，花謝了再放出下一朵。然而，每朵花的壽命竟脆弱得支撐不到一天。

鴨跖草與人類有很深的文化淵源，自古以來它就是一種民間藥用植物，而它的花可以揉出特殊的藍，也是很好的染布原料。

鴨跖草

科別：鴨跖草科
學名：*Commelina communis*
英名：common dayflower
別名：藍姑草、竹葉菜
類型：一年生草本
植株大小：30～50㎝高
生育環境：平地至中海拔水溝邊、沼澤或潮濕路旁
花期：5～8月

莖與葉片
莖的特徵：斜上，基部匍匐
葉的特徵：互生，披針形至卵狀披針形，基部有膜質鞘抱莖，長3～7㎝

花朵
著生位置：頂生或腋生聚繖花序
苞片：總苞片呈佛焰苞形
類型：雌雄同株
大小：藍色花瓣長約1㎝
顏色：深藍色
花被：花瓣3枚，其中2枚側生相對，藍色，較大，呈卵形，下側花瓣較小，白色；花萼3枚
雄蕊：6枚

果實
型態：蒴果橢圓形，成熟時2裂
種子：黑褐色

節花路蓼

這是鄉間常見的野草，全株幾乎平貼在地面上，連葉片也攤得平平的，全年匍匐前進，不斷向前拓展。

花朵雖然不醒目，但數量非常多，花期也幾乎全年可見，總是1至3朵一處，緊密交錯排列在葉腋上。

「節花路蓼」顧名思義是節節生花，在路旁就看得到的蓼科植物。秋至春季，可以摘折它的嫩莖葉洗淨後做成野菜。

節花路蓼

科別：蓼科
學名：*Polygonum plebeium*
英名：joint flowered knotweed
別名：鐵馬齒莧、珠仔蓼、小萹蓄
類型：一年生草本
植株大小：5～10㎝高
生育環境：荒地、路旁、休耕的農田、河邊
花期：4～8月

莖與葉片
莖的特徵：細長，匍匐或半直立，節間短，分枝多
托葉：托葉鞘透明，邊緣呈毛刷狀
葉的特徵：互生，倒披針形或狹橢圓形，無柄，1～2.5㎝長

花朵
著生位置：1～3朵簇生於葉腋
類型：雌雄同株
大小：長約2.5㎜
顏色：白色，常帶粉紅
花莖：極短
花被：5枚，有腺點，長橢圓形
雄蕊：5枚
柱頭：3裂
子房：3稜形

果實
型態：瘦果，外包著宿存花被，3稜形

豨薟

在村落周圍、荒地或路旁，可以看到這種頭花又小又不起眼的菊科植物。它很特別的是：頭狀花外側的總苞片長出毛茸茸的腺體，可以分泌出黏液。它的瘦果不長冠毛而是外被這種黏腺，好附著在動物身上藉以傳播。

豨薟小枝上的紫紅色會延伸到葉脈裡，是未開花時很好的辨認特徵。嫩莖葉雖然可食，但從別稱看來應該不算可口。

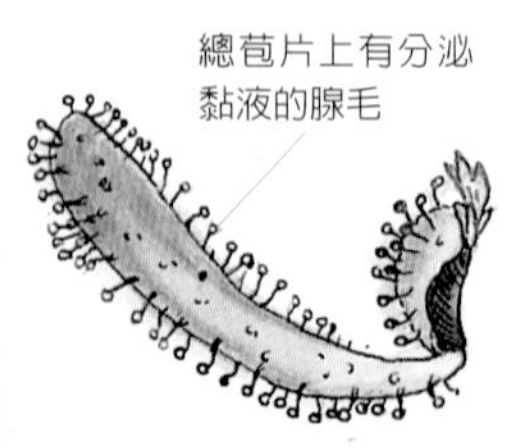

豨薟

科別：菊科
學名：*Siegesbeckia orientalis*
英名：common paulswort
別名：苦草、豬屎菜、黏糊菜
類型：一年生草本
植株大小：60～120cm高
生育環境：低海拔農地、平地、荒廢地
花期：4～6月

莖與葉片
莖的特徵：密生毛茸，直立或基部匍匐
毛：全株被細毛
葉的特徵：對生，卵狀長橢圓形至三角狀卵形；葉緣有不整齊淺裂；兩面均有毛茸

花朵
著生位置：頭狀花頂生或腋生，再呈聚繖狀排列
苞片：總苞5枚，棒狀圓柱形，有分泌黏液之有柄腺毛
類型：雌雄同株
大小：舌狀花長2～2.5mm
顏色：黃色
花莖：1～4.5cm長
花被：由舌狀花及管狀花組合成頭狀花序，舌狀花三淺裂

果實
型態：瘦果，有4稜，無冠毛，具毛茸
大小：0.3cm長

黃野百合

乾燥、貧瘠的土地或河邊砂地，是黃野百合最理想的家。黃野百合不是百合花，它是道地的豆科植物，開蝶形花，結莢果。

曠野、荒地，高速公路兩岸，建築空地，經常都能見到一長串的黃色花，尤其在春夏兩季，時而驚豔於聚生的黃野百合在坡堤上或路旁。另有一種光萼野百合和黃野百合十分相似，兩者最大的不同是一個萼片長

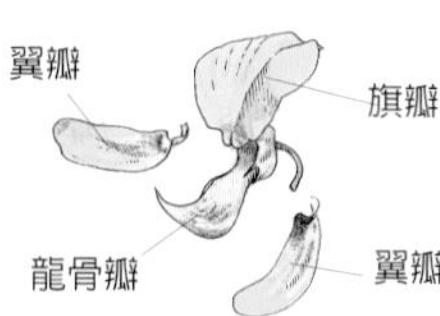

毛；一個萼片十分光滑。以分佈來說，在中、北部，光萼野百合的數量似乎比較多。

黃野百合結的莢果肥肥短短的，裡頭的種子又小又多，當它成熟轉成黑褐色，摘取一個搖搖看，沙沙作響呢！

黃野百合

科別：豆科
學名：*Crotalaria pallida*
英名：saline crotalaria
別名：白馬屎、逆逆仔草、野黃豆
類型：一年生草本或小灌木
植株大小：50～70cm高
生育環境：平野荒地、河床、路旁空地
花期：5～7月為盛花期，幾乎全年可見花開

莖與葉片
莖的特徵：莖強韌
毛：莖葉具密黏柔毛
葉的特徵：三出複葉，小葉倒卵形，全緣，互生，具長柄，3～5cm長

花朵
著生位置：頂生，總狀花序由20～30朵花組成
類型：雌雄同株
大小：花序長20～40cm；每朵花約4cm長
顏色：黃色
花莖：小花具有短梗
花被：花萼7mm長，有毛；花冠長橢圓形，蝶形花
雄蕊：多數，花絲基部癒合成單體雄蕊

果實
型態：莢果橢圓形，在花軸上反折朝下，筒狀
大小：長約4cm
種子：每個莢果有20～30顆種子，細小

三白草

當三白草要開花時，莖上部的葉就會變白或綠白參半，一直到夏季以後又會再慢慢變成淡綠色。它的花穗一開始雖然向下垂著，但隨著下方的花朵逐漸開出，花穗也會慢慢直立起來。

全株都帶有臭氣的三白草，喜歡一群群聚生在潮濕的環境，深秋之後莖葉都會枯萎，只留下休眠的地下莖。

三白草也是民間常用的藥材，由於葉片像拌檳榔吃的荖葉，且偏愛有水的環境，又名「水荖葉」。

三白草

科別：三白草科
學名：*Saururus chinensis*
英名：lizard's-tail
別名：水荖葉、水荖根
類型：多年生草本
植株大小：50～100cm高
生育環境：山野潮濕處或水溝旁，主要分佈在北部低海拔地區及東北角海岸
花期：4～8月

莖與葉片
莖的特徵：莖基部常伏地，上部直立
葉的特徵：互生，卵狀，心形，主脈5條，長9～15cm，葉柄基部抱莖；花序下方的葉片常呈白色或綠白各半

花朵
著生位置：腋生，總狀花序
苞片：有
類型：雌雄同株
大小：花朵細小，花序長10～15cm
顏色：白色
花被：無
雄蕊：6～7枚
柱頭：4裂，裂片反捲
子房：卵形

果實
型態：蒴果，頂端開裂

山珠豆

山珠豆原產於熱帶美洲，在熱帶地區普遍栽培。多半作爲咖啡、椰子園的綠肥，同時也是開墾地很好的覆蓋作物，另一方面又能當飼料、牧草使用，可謂用途廣泛。

台灣自1955年引進至今，山珠豆已在野外馴化，生長十分旺盛。它的花大型而美，若作爲觀賞植物也毫不遜色。

山珠豆

科別：豆科
學名：*Centrosema pubescens*
英名：butterfly pea, centro
類型：多年生纏繞性藤狀草本
生育環境：原產南美洲，台灣引進栽培
花期：4～8月

莖與葉片
毛：全株覆細毛
葉的特徵：三出複葉，小葉卵形或橢圓形，兩面皆有短毛，長5～6cm

花朵
著生位置：腋生，總狀花序
苞片：闊卵形，6mm長
類型：雌雄同株
大小：1.5cm長
顏色：粉紅色
花莖：細長
花被：萼片5裂，外覆絲狀細毛；花冠蝶形
雄蕊：10枚
柱頭：膨大，有毛
子房：外覆細毛，長形

果實
型態：莢果，線形，扁平，光滑
大小：4～7cm長
種子：7～15個種子，褐色，有斑紋

風輪菜

唇形花一輪一輪地開在莖端，這是唇形科塔花屬植物的特徵。風輪菜和塔花、疏花塔花（請見秋冬篇11頁）都是同科同屬的近親，外形也十分相似，差別僅在於風輪菜葉片兩面皆被毛，而塔花則光滑或只在脈上有點兒微毛。

風輪菜的生長範圍十分驚人，從海邊到高山皆可見。在北海岸老梅至野柳一帶常出現大片的群落，是欣賞風輪菜最佳的地方。

風輪菜

科別：唇形科
學名：*Clinopodium chinenese*
類型：多年生草本
植株大小：50㎝高
生育環境：全島海邊至高山均可見
花期：春～初夏

莖與葉片
莖的特徵：基部傾臥，斜上
毛：莖葉有毛茸
葉的特徵：對生，莖上部葉退化成苞片狀；莖下部葉卵形，鋸齒緣，長2～3㎝

花朵
著生位置：腋出或頂生，輪繖花序
類型：雌雄同株
大小：花冠6～7㎜長，2～3㎜寬
顏色：淡紫色
花被：花萼管狀，有毛；花冠管狀唇形，上唇先端凹，下唇3裂
雄蕊：4枚
柱頭：不等大的二分叉

果實
型態：小堅果，橢圓形
大小：0.8㎜

落葵

傳統市場上買得到一種叫「日本甕菜」的健康野菜，莖葉肉質，軟滑潤口。這就是落葵。

落葵蔓爬在原野荒地，村落住家附近時而可見。成熟後的漿果富含紫紅色汁液，是天然的食物著色劑。據說古時候的女人將它的種子蒸後曬乾，再拌白蜜敷面，也可算是化妝品植物。

果實外層的肉質部分是開花後一直留下來的花被片。通常在它長長的花穗上，先端有的才含苞，末端已有成熟果實，這一串花穗排列出的，顯然是開花結果步驟圖。

落葵

科別：落葵科
學名：*Basella alba*
英名：ceylon spinach ，red vinespinach
別名：胭脂豆、天葵、蔠葵
類型：一年生肉質蔓性藤本
植株大小：蔓莖可長達1～2m
生育環境：中北部平原較常見，分佈在荒廢地、原野、路旁及庭園附近
花期：5～9月

莖與葉片

莖的特徵：肉質，光滑
葉的特徵：互生，卵形至卵圓形，全緣

花朵

著生位置：腋生，穗狀花序
類型：雌雄同株
大小：小花徑約4mm，花穗5～20cm長
顏色：淡粉紅色
花莖：小花無梗
花被：萼片2枚；花冠5裂，肉質
雄蕊：5枚

果實

型態：漿果扁球形，成熟時紫黑色，多汁
大小：徑約5～6mm

羊帶來

菊科植物大部份屬於靠昆蟲傳粉的蟲媒花，但羊帶來屬植物卻是風媒花，只不過它的花朵並沒有為傳粉設計出特殊的機制，而是靜待強一點的風。

羊帶來的頭狀花序是單性花，分為雄花序和雌花序。雄性的頭狀花序圓圓的，著生在花軸前端；雌性的頭狀花序被包裹在長滿鉤刺的總苞裡，裡頭有2枚雌蕊。雌花序通常結在雄頭花下方，當裡頭的兩個瘦果成熟時，便利用總苞外層的鉤刺及末端兩枚直立突出的鉤狀刺，附著在擦身而過的動物身上，好傳播到遠處去。從「羊帶來」的名字應該能勾勒出這種附著性種子的傳播方式。

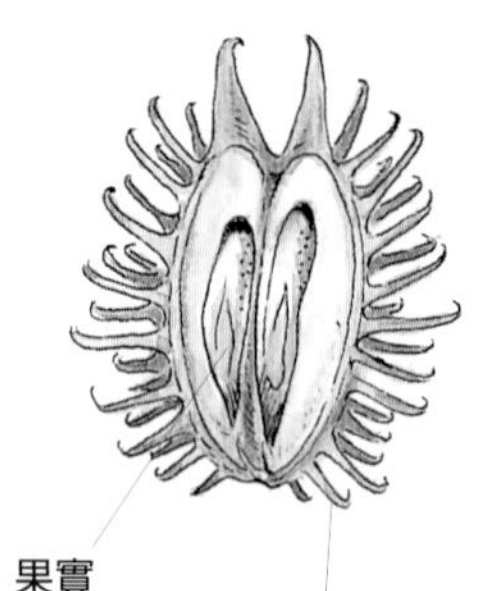

羊帶來

科別：菊科
學名：*Xanthium strumarium* var. *japonica*
英名：spiny cocklebur
別名：蒼耳、地葵、野茄、羊負來
類型：一年生草本
植株大小：50～150cm高
生育環境：低海拔山野、路旁或荒地
花期：春～夏

莖與葉片
莖的特徵：分枝，粗大
毛：全株粗糙有毛
葉的特徵：互生，3～5淺裂，不規則鋸齒緣，具長柄，卵狀三角形，兩面皆粗糙，3主脈，葉大而廣闊

花朵
著生位置：腋生，頭狀花序
類型：雌雄異花
顏色：黃綠色
花被：雌花、雄花都無花被；雄頭花由筒狀花聚集成球狀；雌頭花被總苞片包裹成壺狀，帶有2枚雌花

果實
型態：瘦果長橢圓形，表面具有鉤刺
大小：1～1.5cm長

蕺菜

蕺菜全身都有魚腥味，摘片葉輕揉一下便腥臭難聞。然而生鮮的蕺菜雖臭，水煮後卻反倒鮮美可口。民間有人愛在夏季用它來煮水飲用以解暑熱，可見其功效與甘美。

蕺菜開的是一串肉穗花序，那白白的4片是瓣狀總苞，它真正的花既無花萼也無花瓣。花雖然不耀眼，但種子卻出奇的多，成熟時便四處彈放；而它的根莖還會在地下四處蔓延，生根長葉。由此可想而知爲何野外的蕺菜那麼多了。

春末之後是花期，盛夏至秋它向來枝葉繁茂，未知蕺菜的清涼退火味者，不妨嚐食一次。

蕺菜

科別：三白草科
學名：*Houttuynia cordata*
英名：pig thigh
別名：臭腥草、魚腥草
類型：多年生草本
植株大小：約15～30㎝高
生育環境：低海拔林緣路旁潮濕處，群體生長
花期：5～7月

莖與葉片
莖的特徵：略帶紅紫色
葉的特徵：闊卵狀心形，葉柄多為紅色

花朵
著生位置：頂生，穗狀花序
苞片：總苞片4枚，白色倒卵形
類型：雌雄同株
大小：花穗1～3㎝長
顏色：花淺黃色，瓣狀苞片白色
花莖：總花梗長2～3㎝，小花無柄
花被：無花被
雄蕊：花藥淺黃色，雄蕊3枚
子房：3裂

果實
型態：蒴果，球形
種子：細小

水芹菜

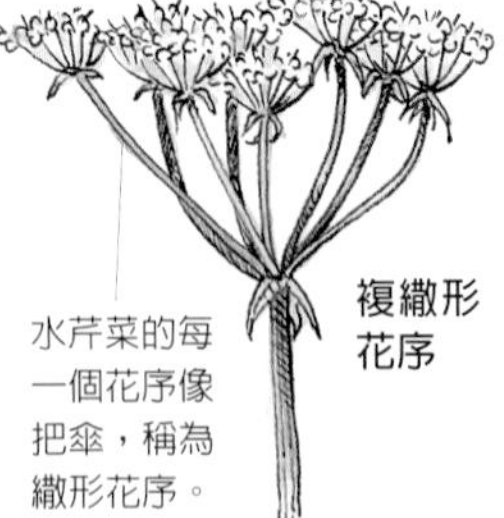

水芹菜的每一個花序像把傘，稱為繖形花序。

水芹菜全株都充滿香味。在水溝邊，潮濕山徑旁或濕地，矮小的植株，傘形細碎的白花，中空有稜的莖，正是水芹菜。再摘一小片葉揉一揉，比芹菜的清香更濃。

春季3月，已見水芹菜陸續開花，它通常聚生成一片，要摘嫩莖葉來當野菜，一點也不費功夫。選擇未開花的植株，摘下嫩頂芽，既不傷它又能一嚐芳香美食，十分野趣。

繖形科植物在體內都佈有油腺，因而能散出特殊的香氣。我們常食用的香菜（芫荽）、當歸、懷香（客家菜）都是繖形科的成員，單一或重複的繖（傘）形花序是它們共同的特徵。

水芹菜

科別：繖形科
學名：*Oenanthe javanica*
英名：Java waterdropwort
別名：水靳、水英、細本山芹菜
類型：多年生草本
植株大小：10～80㎝高
生育環境：海拔2000m以下之溝渠、池塘、水田及濕地
花期：5～7月為盛花期

莖與葉片
莖的特徵：有鈍稜，莖光滑，單生或匍匐分生
毛：全株光滑無毛
葉的特徵：長橢圓形至卵形，2～3回羽狀複葉，葉柄長2～10㎝，互生

花朵
著生位置：複繖形花序，與葉片對生
苞片：很少，呈線形
類型：雌雄同株
顏色：白色
花莖：總梗長6～9㎝
花被：花瓣5枚，頂端向內捲曲
雄蕊：突出於花被之上，5枚
柱頭：2
子房：2室

果實
型態：長橢圓形，光滑，果皮之脈木栓化、突起，花柱宿存
大小：2.5㎜長

山葡萄

山葡萄的樣子和葡萄相似，都是攀緣的木質藤本植物，捲鬚和葉對生，花序也從葉對側長出來。不同的是山葡萄葉子比較小，藍色美麗的成熟果實有毒，不能吃。

花朵既小又不醒目，通常只能從葉和果實識得山葡萄，它的果初時是綠白帶點紅紫，成熟轉成碧藍色。有一種蠅最喜歡將蟲卵產在山葡萄果實裡，讓果實長出蟲癭而且鼓得大大的，看起來似乎更漂亮。

山葡萄

科別：葡萄科
學名：*Ampelopsis brevipedunculata* var. *hancei*
英名：porcelain ampelopsis，Hance ampelopsis
別名：大葡萄、冷飯藤
類型：落葉性藤本
生育環境：全島平野及山麓林中
花期：4～6月

莖與葉片
莖的特徵：卷鬚2歧，與葉對生
葉的特徵：三角狀心形，具有長柄2～6㎝，鈍鋸齒緣

花朵
著生位置：聚繖花序與葉對生，呈2歧開出
類型：雌雄同株
大小：徑約1～2㎜，花序1.5～3.5㎝或更長
顏色：淡綠色
花莖：總花梗略與葉柄等長
花被：花瓣5枚，長卵形，脫落性
雄蕊：短小，與瓣片對生，5枚

果實
型態：漿果球形，成熟為碧藍色，並佈有斑點
大小：徑約0.8㎝
種子：3～4顆，光滑

春

5月14日

金露華

原產南美洲的金露華，於明末西班牙人引進栽培，長久以來宛如台灣鄉土植物似的，在住家附近、郊野、淺山，叢叢生長。

金露華終年常綠，春夏有串串紫花，秋冬有橙黃果實，作爲綠籬植物，隱蔽性好，又能賞花賞果。

金露華另有白花品種，除了花色之外，果實、植株都與紫花金露華相同。若想栽種金露華，以扦插繁殖最恰當。

金露華

科別：馬鞭草科
學名：*Duranta repens*
英名：golden dewdrop，pigeon berry
別名：台灣連翹、小本苦林盤、金露花
類型：常綠灌木
植株大小：3～8m高
生育環境：低海拔山區林緣、農舍圍籬植物
花期：春～夏

莖與葉片
莖的特徵：小枝方形
葉的特徵：對生，有短柄，橢圓形或倒卵形，先端銳，全緣或上半部有鋸齒，葉腋具有銳刺1個

花朵
著生位置：頂生或腋生，總狀花序
類型：雌雄同株
大小：花序長約15～20㎝
顏色：藍紫或白色
花莖：小花具有短梗
花被：花冠5裂，冠筒略彎曲；萼筒形，花後會增大，5裂
雄蕊：4枚

果實
型態：核果球形，成熟時澄金黃色
大小：徑約0.5㎝
種子：4～5顆

毬蘭

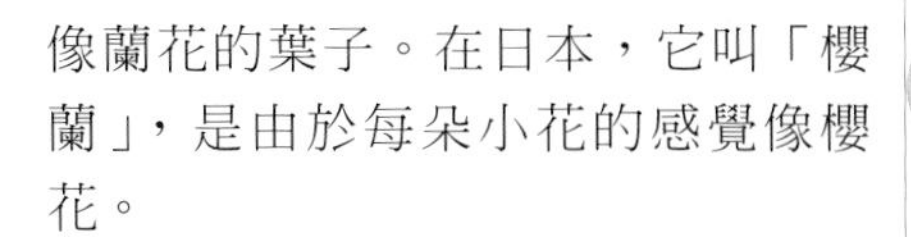

淺山林下潮濕的岩石或樹幹上，常見毬蘭攀爬。除非開了花，否則少有人會注意到這種植物。

毬蘭屬於熱帶性的蔓藤植物，它的花在花冠上又多了一輪光澤鮮麗的「副花冠」，近20幾朵小花紮成一束懸吊在蔓藤上，有很好的香氣。

毬蘭名爲蘭，是因爲葉片呈厚厚的橢圓形，很像蘭花的葉子。在日本，它叫「櫻蘭」，是由於每朵小花的感覺像櫻花。

蘿藦科這類的花十分與眾不同，它的花粉不成粒而結成塊，花絲又往往癒合成筒狀，而且花冠的喉部也有發達的副花冠。這類植物在台灣雖然不多見，但明顯的花型特徵幾乎可以一眼看出。

毬蘭

科別：蘿藦科
學名：*Hoya carnosa*
英名：common wax plant
別名：玉蝶梅、鱸鰻魚
類型：常綠藤本
植株大小：0.5～3m長
生育環境：低海拔山區高濕多濕闊葉林內
花期：4～6月

莖與葉片
莖的特徵：圓厚多汁，攀附在樹上或石塊上
葉的特徵：對生，厚肉質，橢圓形或卵狀橢圓形，全緣，柄長1cm

花朵
著生位置：於莖節處開出繖形花序，密生成半球形
類型：雌雄同株
大小：每朵小花徑約1.5cm
顏色：白色帶紫色中圈
花莖：小花梗2.5～3.5cm長，具有短柔毛
花被：萼片小，5裂；花瓣輪生，深5裂，多肉質

果實
型態：蓇葖果，線形
大小：6～12cm長
種子：先端有毛

野牡丹

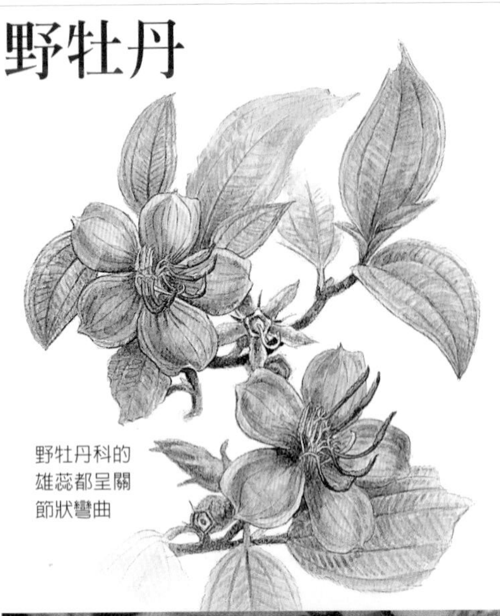

野牡丹與牡丹毫無親緣關係，大概是在台灣平野山區少見如此碩大且豔麗的花，因而有此美名。

5月中旬野牡丹便陸續開放，6、7月是盛花期，郊外常見紫紅色搶眼亮麗的野牡丹。在陽光充足的斜坡或空曠地上，粗糙的枝葉配著柔嫩的5瓣花。

野牡丹的雄蕊很有趣，5長5短，頂著鮮黃色花藥，長雄蕊還彎曲著。花謝之後，果實就包在壺形的萼筒裡。秋季，見野牡丹枝頭一串壺形黃褐色果實，也十分可愛。野牡丹不開花時也很好辨認，它的葉有明顯的3～9條平行脈，葉面佈滿淡褐色密毛，摸起來有些刮手。

野牡丹

科別：野牡丹科
學名：*Melastoma candidum*
英名：common melastoma
別名：金牡丹、埔筆仔
類型：常綠小灌木
植株大小：60～200cm高
生育環境：低海拔山區向陽坡或路旁
花期：5～9月為盛花期

莖與葉片
莖的特徵：莖略呈方形，小枝密被褐色剛毛
葉的特徵：對生，橢圓形至卵圓形，全緣，葉脈3～7條，表面粗糙

花朵
著生位置：頂生，聚繖花序
類型：雌雄同株
大小：徑約7～8cm
顏色：紫紅或粉紅色
花莖：短於1cm
花被：萼筒壺形，密生毛茸；花瓣5枚
雄蕊：10枚

果實
型態：蒴果，果實包在宿存的萼筒中
大小：徑約1cm
種子：多數，極小

酸藤

5、6月間，低海拔的淺山山坡上常見到一抹一抹淡紅色花團，那並非山上的大樹開了花，而是攀爬覆蓋在樹冠上的酸藤開出細小繽紛的花朵。酸藤的開花時間正緊接在油桐的白花之後，這段時間的郊野山色可說美極了。

酸藤具有酸味，能生津止渴，以往原住民常以它的嫩心葉作爲鹽的替用品。有時在郊區路旁或荒地間，也能看到它尚矮小的植株開了花。此時，不妨細看它的模樣，並摘片嫩葉生嚼，體驗它的酸勁。

而它的果實又是一奇。細長的蓇果開裂之後會飛出好多好多帶著傘狀長綿毛的種子，穿梭在綠林間，不知者總要猜疑這些小降落傘打從那兒來。

酸藤

科別：夾竹桃科
學名：*Ecdysanthera rosea*
別名：白漿藤、紅背酸藤
類型：多年生常綠藤本
生育環境：全島低海拔山麓樹林或荒地
花期：春末～夏

莖與葉片
莖的特徵：多分枝，小枝細長，全株含乳白色汁液
葉的特徵：對生，柄長0.5～1㎝，倒卵形或卵圓形，表面濃綠、光滑，葉背粉白色，全緣，長4～5㎝，葉脈及柄呈紫紅色

花朵
著生位置：頂生，圓錐狀聚繖花序
類型：雌雄同株
大小：徑約3.5㎝
顏色：淡紅色
花莖：總梗細長
花被：萼片細小，深5裂，裂片三角形；花冠闊鐘形，5裂，裂片倒披針形
雄蕊：著生於花冠基部
子房：2室

果實
型態：蓇果，細長角形，綠色
大小：長10～15㎝
種子：多數，扁平形，頂端長有白色絲狀冠毛

刀傷草

刀傷草和兔兒菜爲同屬植物，常發現長於山間斷壁、溪流邊或新開之路壁。植株的型態雖然和兔兒菜、黃鵪菜都很像，但從它較具規則性的深裂葉緣，便能明顯區分。

刀傷草、兔兒菜這類菊科剪刀股屬的野草，植株都含有白色乳汁及苦味，若要作爲野菜食用，必須取嫩莖葉並先行燙過再熱炒。這類菊科植物，瘦果前端帶著長長的嘴喙及白色冠毛，可以飛行到很遠，繁殖的能力相當強。

刀傷草

科別：菊科
學名：*Ixeridium laevigatum*
英名：sword wound weed
別名：黃花草、三板刀
類型：多年生草本
植株大小：30～90cm高
生育環境：平地至海拔2300m之山區，常見於開發地區之山坡向陽地
花期：5～7月

莖與葉片
莖的特徵：莖單生或聚生，莖葉具有白乳汁
毛：葉柄與總苞有微毛
葉的特徵：多集中於根際，披針形，葉緣羽狀淺裂，有長柄；莖生葉1～3枚，短柄

花朵
著生位置：頂生，頭狀花序再呈繖房狀排列
苞片：圓筒狀總苞
類型：雌雄同株
大小：頭狀花長約7mm
顏色：黃色
花莖：0.8cm長
花被：由10朵舌狀花形成頭狀花序

果實
型態：瘦果，狹披針形，有褐色冠毛

波葉山螞蝗

台灣有20多種山螞蝗屬植物，它們最大的共同特徵就在於特殊的莢果。和大多數豆科植物的莢果不同的是：山螞蝗的莢果成熟了也不會開裂，莢果在種子與種子之間變細窄而成節狀，每一小節帶著一粒種子，成熟之後一小節一小節地斷落。在莢果表面長滿了鉤狀毛，當有動物擦身而過，便能順利一節節地附著上去，好傳播到遠處。

如果你穿過灌叢野地，發現身上黏了好多小小莢果，那多半是中途遭遇了山螞蝗之類。

波葉山螞蝗春末夏初開出粉紅小蝶形花，略呈菱形的葉上帶著波狀緣。它最愛長在充滿陽光的開闊地上。

果實表面佈滿鉤毛，莢果節節斷裂。

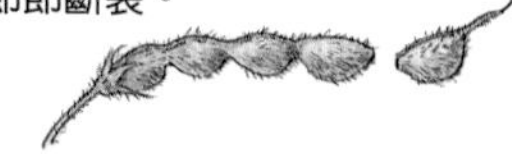

波葉山螞蝗

科別：豆科
學名：*Desmodium sequax*
別名：山毛豆花、烏山黃檀草
類型：直立亞灌木
植株大小：50～60㎝高
生育環境：向陽荒廢地或中、低海拔闊葉林下
花期：5月底～9月

莖與葉片
莖的特徵：具有多數分枝
毛：濃密的紅褐色毛佈滿全株
托葉：有
葉的特徵：大型三出複葉；葉緣上半部呈波浪狀，菱狀卵形

花朵
著生位置：頂生或腋生，蝶形花呈總狀花序排列
類型：雌雄同株
顏色：紫紅或粉紅色
花莖：細長
花被：花萼闊鐘狀；蝶形花冠
雄蕊：10枚

果實
型態：莢果8～12節，線形，密生鉤毛
大小：4～5㎝

圓葉鑽地風

為了彌補花朵長得太細碎，圓葉鑽地風的萼片特別化成白色葉狀，裝飾成明顯的假花瓣，好指引昆蟲。

虎耳草科的植物中，草紫陽花屬、八仙花屬（例如大枝掛繡球、華八仙）、鑽地風屬都具有特化成花瓣狀的萼片，眞正的花朵雖然量多，卻十分細碎。在這些細碎花朵的外圍通常環繞著瓣狀萼片，讓整個花序面積變得明顯且龐大，好讓昆蟲遠遠便能注意到。

圓葉鑽地風

科別：虎耳草科
學名：*Schizophragma integrifolium* var. *faurier*
類型：蔓性灌木
植株大小：可達4m長以上
生育環境：中央山脈1500～2400m針闊葉林下，北部竹子湖亦可見
花期：4～6月

莖與葉片
毛：花序、葉柄具有粗毛
托葉：無
葉的特徵：對生，柄長2～4㎝，闊卵形或卵狀圓形，長約10㎝

花朵
著生位置：頂生，聚繖花序，全體呈繖房狀
類型：雌雄同株
大小：整個花房寬25㎝
顏色：淡黃～乳白色
花莖：具有白色粗毛
花被：花瓣5片，外緣花不孕性，具一大萼片帶有長柄
雄蕊：10枚
柱頭：頭狀，有5縱溝
子房：5室

果實
型態：蒴果

海州常山

海州常山全身帶著臭味，但它的花朵又多又可愛。長長的4條雄蕊的花絲吐出花冠筒外，隨風搖搖晃晃。

海州常山在全島中海拔以下的山區產量極豐富，尤其在北部海岸、山地均有大量分佈。淡紅色的萼片在花期過後會膨大，以托住球形的果實；果實成熟後，外果皮呈現藍色並含有漿汁，盛放在紅色的宿存萼片上，十分醒目。

海州常山

科別：馬鞭草科
學名：*Clerodendrum trichotomum*
英名：harlequin glorybower
別名：山豬枷、臭芙蓉、臭梧桐
類型：大灌木
植株大小：高3m以上
生育環境：2400m以下的中低海拔山區常綠闊葉林下
花期：春末～夏

莖與葉片

莖的特徵：直立，皮孔多、細小且明顯
毛：嫩枝和葉柄有黃褐色毛
葉的特徵：卵形至橢圓形，先端銳，對生，有長柄，葉大而密，長10～20cm

花朵

著生位置：頂生或腋生，2～3分歧成聚繖花序
類型：雌雄同株
顏色：花萼紫紅色，花冠白色或帶粉紅
花莖：具長梗
花被：萼5裂片，由綠轉紅；花冠白色，5深裂
雄蕊：4枚，長而明顯，伸出花冠筒外
柱頭：2裂

果實

型態：核果，由綠轉深藍，球形，具有紅色萼
大小：徑約1cm

長果藤

全島濕度高的闊葉林內，都找得到長果藤這種攀附在大樹上的植物。它的莢果長達15公分，開裂後種子散盡，果莢仍掛在枝條上；長而略厚的葉片，在光線微弱的林下仍閃著光澤。

若有機會遇見長果藤開花，絕不要錯過欣賞它的花蕊，5枚雄蕊中，有2對長長地伸出花冠外，一對比一對高地搭成兩座小小拱門，花藥對著花藥。

長果藤

科別：苦苣苔科
學名：*Aeschynanthus acuminatus*
英名：tapering-leaf basketvine
別名：白面風、芒毛苣苔
類型：常綠攀緣性附生灌木
生育環境：800～2500m山區潮濕闊葉林內，攀附在岩石及樹幹上
花期：春～夏

莖與葉片

莖的特徵：枝條分枝對生
毛：全株光滑無毛
葉的特徵：對生，橢圓形，全緣，先端尖

花朵

著生位置：聚繖花序生於莖頂葉腋，1～數朵花
苞片：2枚，卵形
類型：雌雄同株
大小：1.5～2㎝長
顏色：綠黃色
花莖：總梗約1.5㎝
花被：花萼5裂；花冠鐘形，上唇2裂，下唇裂
雄蕊：5枚

果實

型態：蒴果長橢圓狀，成熟時2瓣裂
大小：15㎝長

毛地黃

毛地黃是全球著名的觀賞用、藥用草花，原產於歐洲溫帶地區。1910年由日本引進台灣，原本只作爲林區辦公室外的觀賞花卉，卻因它強大的繁殖能力與適應性，竟自行在山區裡繁衍成片。如今清境農場、阿里山、太平山、南橫天池、新八仙山一帶都看得到。

毛地黃又長又豔的花序，開在野地裡自然醒目。每一長串花，由下而上開，可以持續2個月的花期，長鐘形的花像是在花軸上垂掛一串鈴噹。

毛地黃

科別：玄參科
學名：*Digitalis purpurea*
英名：common foxglove
別名：洋地黃、毒藥草
類型：多年生草本
植株大小：90～160㎝高
生育環境：原為栽培種，如今在中海拔山區已有大片群落
花期：4～7月

莖與葉片
莖的特徵：直立不分枝
毛：除花冠外，全株被灰白色短柔毛
葉的特徵：卵狀長橢圓形，互生，莖下部的葉具柄，葉緣有鋸齒，上部之葉無柄，葉面皺縮

花朵
著生位置：頂生，總狀花序
類型：雌雄同株
大小：花序可長達100㎝
顏色：紫紅或白色
花被：花萼5裂；花冠長鐘形，有深色斑點
雄蕊：4枚

果實
型態：蒴果，卵形，具有宿存萼片
種子：小而多，被毛

白花苜蓿

白花苜蓿原產歐洲，在溫帶地區有廣泛栽培。早年引進台灣乃作為牧草及地被植物。而如今，在海拔1000至2200公尺的山區，野生的數量十分龐大，而許多山區的果園也都利用白花苜蓿作為地被植物，既能產生固氮改良土壤的功效，又可以當蜜蜂的蜜源植物。

帶著圓弧形白斑的倒卵形小葉，三片聚生一處，這是白花苜蓿最重要的特徵，它的花期很長，從低處往高處開，持續將近半年的時間。幼苗、嫩莖葉、花、果都可以作出美味的菜餚。

白花苜蓿

科別：豆科
學名：*Trifolium repens*
英名：white clover
別名：白三葉草、白荷蘭翹搖、白萩草
類型：多年生草本
植株大小：10～30㎝長
生育環境：2800m以下溫暖山區之耕地、果園、草原和開闊地
花期：早春～夏末

莖與葉片
莖的特徵：匍匐地面
毛：無毛
托葉：卵狀披針形
葉的特徵：互生，三出複葉，小葉倒卵形，無柄，細鋸齒緣，具有長總柄

花朵
著生位置：頂生，頭狀花序圓球形
類型：雌雄同株
大小：7～8㎜長
顏色：白色
花莖：總花梗很長，小花具有短梗
花被：蝶形花冠；花萼筒狀，具有銳齒

果實
型態：莢果，線形
大小：甚小
種子：3～4粒

毛蕊木

毛蕊木是台灣所產的越橘科毛蕊橘屬植物中唯一的一種。這類植物在全世界原本就不多，約僅10種左右，主要分佈在北美洲及東亞一帶。台灣則常見於中央尖山、鴛鴦湖、太平山、阿里山、玉山、八仙山等高山上。

花冠裂片強烈向上翻捲，雄蕊也緊緊地圍在白色的雌蕊花柱上，這樣的花形十足俏皮可愛，是毛蕊木最令人難忘的特徵。

毛蕊木

科別：杜鵑花科
學名：*Vaccinium japonicum var. lasiostemon*
英名：Taiwan hugeria
別名：毛蕊越橘
類型：落葉小灌木
生育環境：1500～2900m中高海拔山地
花期：5～6月

莖與葉片
莖的特徵：小枝平滑無毛，呈四方形
葉的特徵：互生，紙質，橢圓形至卵狀長橢圓形，鋸齒緣，長2～4㎝，近似無柄

花朵
著生位置：腋生，單出
類型：雌雄同株
大小：花朵長6～7㎜
顏色：白至紅色
花莖：1～1.5㎝長
花被：花冠白色至深紅色，4深裂，裂片往上翻捲，線狀披針形；花萼4裂
雄蕊：8枚，呈紅褐色，上部黃色
柱頭：花柱比雄蕊短
子房：無柄

果實
型態：漿果球形，成熟時深紅色，7～11月果熟期
大小：徑0.5㎝

水亞木

八仙花屬的植物台灣約產10種，有些是攀緣性灌木（例如大枝掛繡球、藤繡球）；有些是直立型灌木（例如水亞木、華八仙花）。這類植物都具有4枚聚成花朵型態的瓣狀萼片，看起來如一朵朵飛舞的小花。

水亞木的瓣狀萼片會從白色慢慢變成淡紫色，它帶著長長的柄活躍在花序間，十足招蜂引蝶。

水亞木

科別：虎耳草科
學名：*Hydrangea paniculata*
英名：pancle hydrangea
別名：糊八仙花、圓錐繡球花
類型：灌木
生育環境：北部針闊葉樹之混合林內
花期：4～6月

莖與葉片
莖的特徵：小枝粗大，枝幹紅褐色
毛：嫩枝與葉脈有毛
葉的特徵：對生，有短柄，葉脈著生粗毛，闊卵形或橢圓形，先端尖銳，葉長5～12㎝，柄長3～5㎝

花朵
著生位置：頂生，大型聚繖花序排成圓錐狀
類型：雌雄同株
大小：花序12～25㎝長
顏色：白色
花被：無性花具有4片瓣狀萼，會由白色變為淡紅色，橢圓至圓形，長1.3㎝
雄蕊：10枚

果實
型態：蒴果，卵形
大小：徑約4㎜
種子：兩端有翅

台灣繡線菊

薔薇科的台灣繡線菊，因花朵小且叢聚如頭狀菊花，宛如一幅精緻的刺繡，才有此名號。它的白色小花中吐出長長的紅褐色雄蕊，豐富的花蜜引來春夏成群的蜂蝶。

從南湖大山到北大武山，二千多公尺的山地約在5月中旬便能見到它陸續開花，隨著海拔越高，高山盛花期則在6、7月才熱鬧起來。八通關、觀高一帶的路旁最爲常見，而合歡山、雪山東峰、秀姑巒山一帶也不少。

台灣繡線菊於秋季成熟的果實，往往會留在乾枯的枝頭上，一直到翌年春天抽芽時。

台灣繡線菊

科別：薔薇科
學名：*Spiraea formosana*
別名：台灣珍珠梅
類型：落葉小灌木
植株大小：1～1.5m高
生育環境：2100～3500m之間向陽、土壤深厚的山區林緣
花期：5～8月，6～7月為盛花期

莖與葉片
莖的特徵：枝條細長
毛：小枝上密佈毛茸
葉的特徵：橢圓形或長橢圓狀卵形，先端尖，基部鈍而圓，重鋸齒緣，葉背及葉柄皆有毛茸，長4～8cm，具短柄

花朵
著生位置：頂生，複繖房花序，有柔毛
類型：雌雄同株
大小：花小而密集，花序長5cm，寬5.5cm
顏色：白色，略帶粉紅
花莖：1cm長
花被：花萼潤鐘形，5裂；花瓣5枚，圓形
雄蕊：多數，近20枚，花絲伸出花冠外

果實
型態：蓇葖果5枚，紡錘形
大小：約0.2～0.5cm

川上氏小蘗

川上氏小蘗常出現在中、高海拔的草原、灌叢或林緣，比起高山小蘗更喜歡日照。莖節上長著如三叉戟一般的銳刺，而最外圍的花被片呈線形，是它最大的特徵。

春季，川上氏小蘗金黃色的花叢生在葉腋，美麗的花朵，有葉緣的刺狀鋸齒和莖上銳刺保護著，提醒路人最好勿靠近摘取。

小蘗類的灌木，其內皮和木質都呈黃色。冬季，川上氏小蘗有少數葉片會變成鮮紅色，花芽也受層層紅色的鱗片保護著，十分醒目。

川上氏小蘗

科別：小蘗科
學名：*Berberis kawakamii*
英名：Kawakami barberry
別名：黑果小蘗、台灣小蘗
類型：多年生蔓狀小灌木
植株大小：0.5～3m高
生育環境：2500～3500m中高海拔山區草原、灌叢或次生林緣
花期：3～5月

莖與葉片
莖的特徵：小枝具稜角及三枚輪生的銳刺，刺長達1.5～2cm
毛：全株光滑無毛
葉的特徵：葉片無柄，3~5枚叢生於短枝梢端，革質，倒卵形或倒披針形，葉緣有刺狀鋸齒

花朵
著生位置：花10～15朵簇生於葉腋
類型：雌雄同株
大小：花瓣長約0.5cm
顏色：黃色
花莖：小花梗1cm長
花被：萼片、花瓣均為5～6枚，萼片披針形，花瓣橢圓形，最裡面的花瓣最大
雄蕊：5～6枚
子房：1室

果實
型態：漿果，長橢圓形，紫黑色，可食
大小：1cm長
種子：2～3枚

高山薔薇

冬季裡一叢佈滿荊刺的藤枝，到了春天，雪白的花瓣和嫩葉緊密綴上。春夏之際的高山草原上，美麗的高山薔薇引來無數忙亂的蜂、虻與蝴蝶。

高山薔薇是台灣固有種，以合歡山由翠峰至昆陽一帶生長最繁密。5月中旬，白花開始一路由一千多公尺處往上開，到了6、7月，高海拔的薔薇花也在晴空萬里的豔陽下恣意綻放。

除了春夏季的白花，秋天裡鮮紅色的果實也一樣動人，而此時，葉片又要準備枯黃掉落。

高山薔薇

科別：薔薇科
學名：*Rosa transmorrisonensis*
英名：glandular rosa
別名：單花薔薇
類型：小灌木
植株大小：2～3m高
生育環境：中、高海拔山區草原或林緣、向陽裸露地，中央山脈尤其易見
花期：5～7月

莖與葉片
莖的特徵：綠色，小枝無毛，具成對或稀疏的鉤刺
毛：托葉、葉背、花莖有毛
托葉：線形托葉，1㎝長，紅色，邊緣有細毛
葉的特徵：羽狀複葉，小葉5～7枚，卵形或倒卵形，長0.8～1.5㎝，葉面光滑，葉背中肋兩邊有毛，葉柄有鉤刺

花朵
著生位置：單生，或2～4朵成聚繖花序
苞片：線形
類型：雌雄同株
大小：1㎝長
顏色：白色
花莖：1.5㎝長，有腺毛
花被：萼片、花瓣各5枚，花瓣先端凹
雄蕊：多數
柱頭：光滑

果實
型態：球形，成熟時紅色，8～10月果熟
大小：徑6㎜

5月30日

紅毛杜鵑

杜鵑花是全世界著名的觀賞植物，從亞熱帶、溫帶至亞寒帶都有它的蹤跡。紅毛杜鵑屬於草原性高山杜鵑，全株佈滿褐色的短剛毛，它常和高山芒、玉山箭竹和巒大蕨等混生。在森林火災或森林遭破壞之後，漸漸演替成灌叢階段的裸露地或草原上，常能見到紅毛杜鵑成片群生。

從玉山的塔塔加、八通關古道、大霸尖山、合歡山、雪山、阿里山、南湖大山、巒大山、清水山，乃至屏東大武山……，紅毛杜鵑的分佈極廣，由中海拔往高海拔開花，從4至6月都能找到豔麗的紅毛杜鵑，尤其是在5、6月之際，紅毛杜鵑演出的春末花海，讓高山草原份外繽紛燦爛。

紅毛杜鵑

科別：杜鵑花科
學名：*Rhododendron rubropilosum*
英名：red-hairy azalea
別名：合歡杜鵑
類型：常綠灌木
植株大小：0.5～2m高
生育環境：1300～3500m中、高海拔向陽地、高山草原
花期：3～6月（5、6月間為高山盛花期）

莖與葉片
莖的特徵：多分枝，枝細
毛：全株被有毛茸
葉的特徵：互生，枝端葉片叢生，披針形至長橢圓形，先端尖，全緣或略向邊緣反捲；背面密佈灰褐色毛

花朵
著生位置：花1～4朵生於枝端
類型：雌雄同株
大小：徑2.5～3.5cm
顏色：粉紅或紫紅色
花被：花萼4～5裂；花冠闊漏斗形，內面散生深紅色斑點，先端有圓形裂片5枚
雄蕊：9～10枚
柱頭：花柱細長
子房：長卵形

果實
型態：蒴果卵狀圓柱形，有毛
大小：長0.8cm

玉山飛蓬

矮小而碩美的野菊花，開在高山開闊的岩屑地、步道旁，隨著氣候、地理因素的改變，不同山頭的玉山飛蓬，開出了多變化的色彩。

酷愛陽光的玉山飛蓬屬於乾生植物，土壤的厚薄無關生長的好壞，在岩屑縫隙裡，它的花開得燦爛活躍。當秋天瘦果成熟時，仍然由上方的冠毛帶著飄散，而地上部的植株乃逐漸枯萎消失，直到隔年春天，在枯株旁才又長出新苗。

玉山飛蓬

科別：菊科
學名：*Erigeron morrisonensis*
英名：morrisone erigeron
類型：多年生草本
植株大小：6～10㎝高
生育環境：2600～3950m高海拔之高山岩隙、岩屑地
花期：5～7月

莖與葉片
莖的特徵：單立無分枝，直立
毛：莖上有毛茸
葉的特徵：根生葉舌狀，全緣，厚紙質；莖生葉無柄，較小

花朵
著生位置：單生之頭狀花，頂生於小枝枝端
苞片：總苞闊鐘形，苞片3裂，外有毛茸
類型：雌雄同株
大小：徑1.5～2.5㎝
顏色：白色或紫、淡紫、淡紅色
花被：花托凸出，外圍舌狀花40～70枚，中央管狀花黃紫色，多數
柱頭：尖銳

果實
型態：瘦果，有白色冠毛，8～10月間成熟
大小：2㎜長

夏天的野花

烈日炎炎　野花爭豔
鬆軟廣闊的沙灘地　匍匐展開的野花網
海潮聲中　馬鞍藤　土丁桂任花色燦爛
夏天的野花　盛放在海邊和高山

布袋蓮

布袋蓮的英文名字叫「水風信子」，淡紫色的花串是夏季水面上動人的風景畫。

除了美麗，布袋蓮驚人的繁殖力也讓人印象深刻。莖基部水平伸出的走莖可以繁殖出子株，一株接著一株。在夏天以前，子株繁殖得十分迅速，一到盛夏，成片的布袋蓮早長滿水澤、池塘。寒冷的冬季，水面上的植株雖然枯萎，但基部的生長點卻仍然留著，待春季天暖又復活般地繁茂起來。

布袋蓮適應環境的能力也堪稱一流。當水位深時，它的身體便長得低矮，龐大的根系形成平衡的重心好穩住水面上的花和葉，葉柄的浮囊也鼓得大大的，裡頭充滿氣體。一當水位下降，甚至只留下泥濘，布袋蓮也無庸憂慮，它開始往下著根，把莖葉抽得長長的，葉柄的浮囊也變得不明顯。這時候布袋蓮也可以行種子繁殖。借助昆蟲授粉的花，在花謝後花柄朝下彎曲，好讓種子在淺水底成熟、發芽，等到長至7、8片葉時，若遇水位上升，根及第1、2片葉會留在水底，其餘部份便會上升浮出水面。

布袋蓮喜歡長在氮、磷濃度高的水澤區，它的過度繁殖一則成為農、漁業的困擾，一則為淨化水質幫了大忙。

布袋蓮

科別：雨久花科
學名：*Eichhornia crassipes*
英名：water hyacinth
別名：布袋葵、鳳眼蓮、洋雨久花
類型：多年生草本
植株大小：20～30㎝高
生育環境：沼澤地或水田、水流遲緩之河川
花期：5～7月

根、莖與葉片
莖的特徵：從莖基部長出水平面走莖
根的特徵：多而發達
葉的特徵：葉柄海棉質，長約10～20㎝，有膨大浮囊，葉由根生，厚而有光澤

花朵
著生位置：近15朵花聚生成一串總狀花序，自葉間伸出
類型：雌雄同株
大小：花直徑3～5㎝，花序長約12～15㎝
顏色：淡紫色
花莖：粗大且直立
花被：花瓣、花萼各3枚，其中1枚花瓣中央有黃斑，紫色更濃
雄蕊：花絲彎曲有腺毛，雄蕊有6枚，3長3短
柱頭：花柱著生腺毛

果實
型態：果實成熟時彎曲下垂

燈心草

將燈心草綠色的莖稈外皮除去，裡頭白色海棉質的髓心曬乾後，截成段後就可以當油燈的蕊心，在上頭沾些煤油便能點燃。

燈心草不屬於禾本科，它的花朵雖小仍具有被片，也不結成小穗。由於苞片長得和莖一樣，而且自花序基部往上伸得很長，使得原本開在莖頂的花序，看起來卻彷彿掛在莖中央。

池沼、濕地常可見到燈心草。它的莖除了可以當油燈蕊心，還能織成蓆子。日式榻榻米的表層所用的便是燈心草的栽培品種。

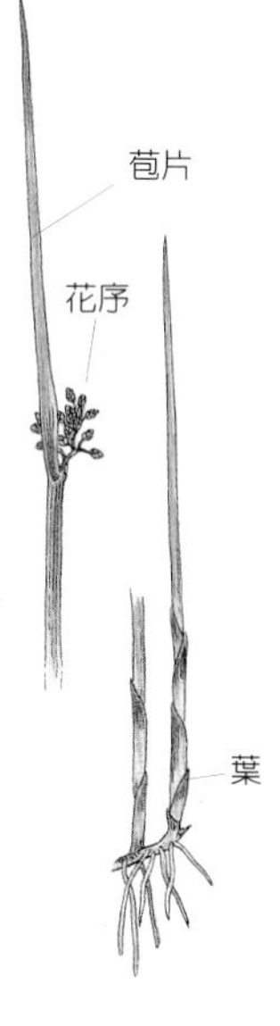

燈心草

科別：燈心草科
學名：*Juncus effusus* var. *decipiens*
類型：多年生草本
植株大小：20～60cm高
生育環境：從低地至高山的濕地環境
花期：6～9月

莖與葉片
莖的特徵：圓柱形
葉的特徵：莖下部有退化成鱗片狀的紅褐色葉，葉鞘長1～8cm

花朵
著生位置：莖端開出圓錐花序
苞片：莖稈形態，10～20cm長
類型：雌雄同株
大小：約4mm長
顏色：淡褐色
花莖：極短
花被：花多數而小，被片6枚
雄蕊：3枚

果實
型態：蒴果，卵圓形
種子：倒卵形

兩耳草

兩耳草在校園潮濕的操場、路邊都十分常見。總是要等到兩穗細長呈八字型分叉的花序開出，才有人注意到它的存在。

兩耳草的花序用肉眼實在看不出有任何「花」的特徵。禾本科的花原本就十分樸素而細小。它們的花既沒有花瓣也沒有花萼，只有2個花穎保護著雌蕊和雄蕊，而它們的花序通常由很多的小穗聚集而成，這些小穗（仍然十分細小）又由1至數個小小的花形成。

要觀察兩耳草的花非得有放大鏡不可，在放大鏡下也許你可以看出它巧妙的構造。兩耳草的小穗帶有絲狀毛，可以附著在人畜身上，藉以傳播果實。它的花期和果期在外觀上並沒有多大分別，因此，我們常覺得它那兩隻長耳朵開得好久好久。

兩耳草

科別：禾本科
學名：*Paspalum conjugatum*
英名：*sour grass*
別名：大肚草
類型：多年生匍匐性草本
植株大小：20～40㎝高
生育環境：2000m以下潮濕的林下、水田邊以及低窪積水的操場、路邊
花期：6～8月

莖與葉片
莖的特徵：走莖長，莖稈堅硬實心，稈節有毛
毛：小穗有絲狀毛，稈節、葉緣均有毛
葉的特徵：葉舌有一圈毛，葉長披針形，葉緣有毛

花朵
著生位置：成對的總狀花序，形如雙耳
類型：雌雄同株
大小：花序6～12㎝長
顏色：白～淡綠色
花被：花被退化成鱗被，位於子房基部。小穗具2朵小花，卵形呈兩列，具長絲狀毛

果實
型態：穎果，具有絲狀毛以附著人畜傳播
大小：長約1.2㎜

土半夏

土半夏是平地常見的天南星科植物，有時在牆縫、石壁上也能發現。戟形葉以及暗紫色的佛焰苞是最明顯的特徵。

和所有天南星科植物一樣，土半夏也有地下塊莖。它的地下莖是很好的解毒藥，若被毒蛇咬傷或長瘡，將它搗碎敷在患處，效果極佳。但是若在冬季，一定很難找到土半夏，因爲它的地上部已枯萎消失，正值休眠期。

土半夏

科別：天南星科
學名：*Typhonium divaricatum*
英名：native midsummer, Indian kale
別名：犁頭草、青半夏
類型：多年生草本
植株大小：約30cm高
生育環境：平地、潮濕路旁或園圃
花期：春～初夏

莖與葉片
莖的特徵：地下部有球形塊莖
葉的特徵：根生葉2～5枚，具長柄，戟形或心狀箭形，長5～15cm

花朵
著生位置：單生，佛焰花序
苞片：佛焰苞基部筒狀，上部廣卵狀披針形，末端為尾狀漸尖
類型：雌雄同株
大小：花序總梗長5～10cm
顏色：佛焰苞紫褐色
花莖：花柄長5～8cm
花被：單性花，無花被；附屬體長圓柱形，暗紫色
雄蕊：雄花具雄蕊3枚
子房：1室

果實
型態：漿果

野莧

野莧和刺莧是兩種最常見的野生莧菜屬植物，喜歡莧菜滋味的人，不妨也試試野生的莧菜，若再用點巧思，連它的花穗、果實也可入菜或製成餅。

莧科的野花，花朵細細小小，密集成穗，摸起來乾扎扎的。它的果實稱為「胞果」，是由薄薄的膜狀果皮將種子包住。

野莧這類植物多數原產於熱帶美洲，如今以大型雜草的身分在世界各地擴展領域，多半群生於荒地、路旁，甚至入侵到家中庭園來，就外觀上也許並不起眼，但如此唾手可得的野菜也令人感到歡喜。

野莧

科別：莧科
學名：*Amaranthus viridis*
英名：green amaranth
別名：野莧菜、綠莧、山荇菜
類型：一年生草本
植株大小：50～80㎝高
生育環境：低海拔荒地、路旁
花期：5～6月為盛花期，四季可見花穗

莖與葉片
莖的特徵：直上
葉的特徵：互生，具長柄，菱狀卵形，波狀緣，長3～6㎝

花朵
著生位置：頂生或腋生，穗狀花序
苞片：膜質具芒，卵形
類型：雌雄同株
大小：小花極小，花序長
顏色：綠色
花莖：小花無花梗
花被：花被片3枚，乾膜質
雄蕊：2～3枚

果實
型態：胞果，球形
大小：極小
種子：黑色，一粒

刺莧

刺莧比野莧更大型，花穗更長，莖上帶有紅色調，十分粗獷。

雖然帶著滿身棘刺，刺莧仍不失為野菜佳餚，只是得先費點功夫將刺除去。至於那摸起來一樣刺扎扎的花穗，可以煮熟後沾醬料吃，也可以和著麵粉蛋汁油炸。

台灣共有19種莧科植物，如雞冠花、長梗滿天星都是我們最熟悉的，它們的苞片、花瓣都是含水份極少的乾膜質，無論是盛開或即將凋謝，看起來都一樣像是乾燥花似的。

刺莧

科別：莧科
學名：*Amaranthus spinosus*
英名：thorny amaranth
別名：假莧菜、白刺莧
類型：一年生草本
植株大小：1m高
生育環境：低海拔開闊荒廢地
花期：夏～秋

莖與葉片
莖的特徵：有稜，直立，帶紅色，具刺，刺側生，每節2枚
葉的特徵：互生，卵形，具長柄，全緣，長3～10cm，葉柄基部具有一對1cm長的尖刺

花朵
著生位置：頂生穗狀花序或腋生小花聚成團簇
苞片：卵形，具有芒刺
類型：雌雄同株
大小：極小，細如粟米
顏色：綠色
花莖：小花無花梗
花被：5枚，乾膜質
雄蕊：5枚

果實
型態：胞果，橫向開裂
種子：單生，圓形

夏枯草

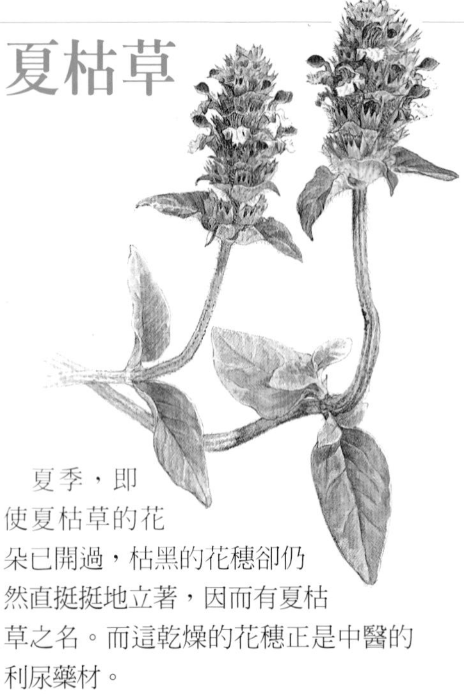

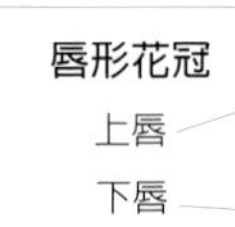

夏季，即使夏枯草的花朵已開過，枯黑的花穗卻仍然直挺挺地立著，因而有夏枯草之名。而這乾燥的花穗正是中醫的利尿藥材。

夏枯草的每一朵唇形花都有一枚多毛的苞片保護著，花朵由下往上開，一凋謝，基部唇形的花萼馬上閉合起來，讓種子在裡頭成熟。這種現象和半枝蓮（請見71頁）如出一轍。

以往民間常用的救荒植物便是昭和草（請見57頁）和夏枯草。它的嫩莖葉及花穗均可食用。北部之新竹、台北經常可見，往往群生一片。

夏枯草

科別：唇形科
學名：*Prunella vulgaris*
英名：common selfheal
別名：大本夏枯草、大頭花、鐵色草
類型：多年生草本
植株大小：30㎝高
生育環境：北部山野
花期：4～6月

莖與葉片
莖的特徵：莖方形，直立或斜上生長
毛：全株散生節狀茸毛
葉的特徵：葉柄長，對生，全緣或稍具鋸齒，卵形或卵狀披針形，長1～3㎝

花朵
著生位置：圓柱狀穗狀花序著生枝端
苞片：葉狀
類型：雌雄同株
大小：花序長3～6㎝
顏色：淡紅紫色
花被：花冠管狀唇形，2片唇狀瓣等長，上唇微凹，下唇3裂；花萼唇形
雄蕊：4枚，2長2短

果實
型態：橢圓形，小堅果，褐色
大小：長1.5㎜

文殊蘭

土生土長在海濱的文殊蘭，由於挺綠的外形，芳香的白花，已漸成為眾人喜愛的觀賞植物，很多公園、安全島，甚至住家的大花盆裡都看得到。

細看文殊蘭的花，便能明白為什麼它和金花石蒜是同科植物。細細長長、同形同大的6枚花被片，下方癒合成細長的筒狀，這是石蒜科文殊蘭屬的主要特徵。

文殊蘭常以大群落的方式，分佈在台灣南北部、東部及蘭嶼、綠島。它的種子發芽率頗高，外面包著海綿質的種皮，有助於海潮幫它在沿岸漂流散佈。夏季，它的大花序傘狀開出，越到晚上香氣越濃。

文殊蘭的果實具有海綿質的種皮，可以漂浮在水面上，靠海潮傳播。

文殊蘭

科別：石蒜科
學名：*Crinum asiaticum var. sinicum*
英名：zibakon，Chinese crinum，St. John's lily
別名：允水蕉、文珠蘭、引水蕉
類型：多年生草本
植株大小：高達1m左右
生育環境：全島海濱珊瑚礁岩、砂灘上
花期：5～8月

莖與葉片
莖的特徵：地下莖球狀，地上部短圓柱形，徑6～15cm，基部側生分枝
葉的特徵：葉叢生莖頂，劍形，長達1m，全緣，螺旋狀著生，厚而有光澤

花朵
著生位置：腋出，單一的繖形花序，20朵或更多
苞片：2枚
類型：雌雄同株
大小：花冠筒長10～13cm，裂片長6～7cm
顏色：白色
花莖：直立，粗壯，高50～80cm
花被：筒狀，花冠6裂，反捲
雄蕊：6枚，花藥黃色
柱頭：頭狀，3淺裂
子房：3室

果實
型態：蒴果，扁球形，淺黃色
大小：徑約5cm
種子：大型，外種皮海棉質

濱排草

海邊風大日烈，有些植物為了維持體內正常的生理機能，於是有了肥厚的莖葉，以抵擋過度的水份蒸發。濱排草便是其中之一。

濱排草的花色有粉紅有白，相較於野柳一帶樸素的白色花，石門附近的濱排草就顯得豔紅，而有些地區偶爾也會出現介於兩者之間的色調。

開過花後，濱排草的花序會再增長。夏末秋初，當果實開始成熟，植株也會轉成紅色。它的果實頂端還帶著宿存花柱，果皮硬硬的，直到種子成熟時，頂端會開出小孔，將小小的種子散落出來。

濱排草有時單株散生在珊瑚礁附近，有時又形成大片群落。第一年它長出營養器官，莖枝茂盛後，於翌年春天才開花，並且在當年冬天完成傳播之後，枯萎消失。

濱排草

科別：櫻草科（報春花科）
學名：*Lysimachia mauritiana*
英名：Maurit loosestrife
別名：茅毛珍珠菜、濱拂子
類型：二年生草本
植株大小：10～40㎝
生育環境：海岸珊瑚礁、岩石或石礫地
花期：春～夏

莖與葉片
莖的特徵：自基部分枝，略帶紫紅色
葉的特徵：互生，肉質有光澤，倒卵形或匙形，葉緣略反捲

花朵
著生位置：頂生或腋生，總狀花序呈圓錐狀排列
類型：雌雄同株
大小：徑約1～1.2㎝
顏色：白或粉紅色
花莖：0.5～2.5㎝
花被：萼瓣均呈5深裂
雄蕊：5枚

果實
型態：蒴果球形，頂端孔裂，上有宿存花柱
大小：徑約0.4～0.6㎝

海馬齒

在中南部西海岸一帶，海馬齒長得又多又好。由於它喜歡出現在泥質較重的海岸地區，再加上匍匐生長的覆蓋性，於是成爲很好的魚塭護堤植物。

海馬齒雖然植株形態和馬齒莧（請見178頁）相似，但卻是完全無關的不同科植物，不過，因有肉質營養的莖葉，也同樣被人用來餵豬。它的花朵很有趣，花萼與花瓣已合而爲一，難以分解（我們於是統稱爲「花被片」），外側綠色、內側紫紅的單被花遂成爲辨認它最好的特徵。

海馬齒

科別：番杏科
學名：*Sesuvium portulacastrum*
英名：sea purslane
別名：濱馬齒莧、濱水葉、蟳螯菜
類型：多年生肉質草本
植株大小：20～50㎝長
生育環境：中南部海邊、澎湖海濱
花期：5～6月

莖與葉片
莖的特徵：匍匐地面，多分枝
葉的特徵：對生，橢圓狀倒披針形，葉柄成鞘狀抱莖，長2～4㎝，幾乎無柄

花朵
著生位置：單出，互生於葉腋
類型：雌雄同株
大小：徑約1㎝
顏色：紫紅和綠色
花莖：約0.6～1.5㎝
花被：5枚，外面綠色似花萼，內面紫紅或白色似花瓣
雄蕊：多數，紫紅色
柱頭：3或2枚

果實
型態：蒴果，花被宿存，蓋裂
大小：5㎜長
種子：細小，黑色

短角冷水麻

常見的蕁麻科植物，不是長在陽光曝曬的地方（如苧麻），便是喜歡潮濕的溪澗旁（如冷清草）。而短角冷水麻是生長在介於乾濕兩極之間的環境，雖然環境稍潮濕，但並非需要厚重的水氣。

蕁麻科植物有個很特殊的傳粉機制。雄蕊花絲上部的二分之一向內摺，開花時會利用反彈力量將花絲拉直，並就在此時將花粉彈散出去。如此細緻的構造雖然肉眼看不到，但對於毫不起眼的小花智慧，我們也應給予深深的欣賞。

短角冷水麻

科別：蕁麻科
學名：*Pilea brevicornuta*
類型：多年生草本
植株大小：約10～25cm長
生育環境：400~2600m峽谷及潮濕林緣或林下
花期：12～6月

莖與葉片
莖的特徵：肉質，基部光滑，前端具毛
毛：全株密被毛茸
托葉：耳狀透明，著生葉脈內側
葉的特徵：十字對生，卵形，鋸齒緣，弧形羽狀脈，長約1.5cm，3出脈，有點短絨毛

花朵
著生位置：腋生，團繖花
苞片：橢圓形
類型：雌雄異花
大小：極小
顏色：紅褐色
花莖：雄花序有柄，雌花序具短梗
花被：雄花花被4裂；雌花花被3裂
雄蕊：雄花有雄蕊4枚
子房：橢卵圓形

果實
型態：瘦果具小瘤，側面下陷，歪斜橢圓體
種子：長約0.8mm

台灣金絲桃

台灣金絲桃主要產在石碇、筆架山、瑞芳、金瓜石、大屯山，於大屯山登山口至中興農場之間較容易發現。由於易受人為開發的破壞，目前族群正處於逐漸減少的危機中。

金絲桃最特別的便是它密集且又多又長的雄蕊，幾乎充滿在整朵花上。其中像台灣金絲桃甚至有多達近200枚的雄蕊。本書介紹了3種特別常見的金絲桃科植物，不妨比較看看雙花金絲桃（請見195頁）、玉山金絲桃（請見秋冬篇31頁）和台灣金絲桃在環境、性狀上的不同。

台灣金絲桃

科別：金絲桃科
學名：*Hypericum formosanum*
類型：小灌木
生育環境：北部海拔1000m以下之多石地區或乾燥溪岸
花期：5～6月
莖與葉片
莖的特徵：小枝近方形，枝條彎曲
葉的特徵：對生，橢圓形或卵形，全緣，三出脈，無柄，葉長2～6㎝
花朵
著生位置：1～3朵腋生或頂生
類型：雌雄同株
大小：徑約2～3㎝
顏色：黃色
花莖：具短梗
花被：花萼、花瓣各5枚，倒卵形
雄蕊：5束，每束25～40枚雄蕊
柱頭：5裂
子房：卵形至球形
果實
型態：蒴果，長卵形
大小：長約0.8㎝
種子：無

刺蓼

在蓼屬的植物當中，刺蓼、戟葉蓼、扛板歸有兩個最明顯的共同特徵，莖上有向下長的逆刺；托葉鞘的上部擴展成葉狀。

蓼這一類的花很小，因此多數的人不會去注意它的形態。就刺蓼來說，在花期結束之後，花被並沒有脫落，而是將裂片的開口合閉起來，將瘦果整個包在裡頭。由於花被始終帶著紫紅色，若不仔細看，結果期也像是含苞待放的花朵。

刺蓼和戟葉蓼在花型和生長環境上都十分類似，葉子的差異是很好的辨別特徵。

刺蓼

科別：蓼科
學名：*Polygonum senticosum*
英名：forest fleece flower
別名：三角鹽酸
類型：一年生草本
植株大小：約1m高
生育環境：中低海拔林緣及路旁、水邊
花期：6～8月

莖與葉片
莖的特徵：莖四方形，多分枝，粉紅色，具倒刺
毛：全株被細毛，幼株頂芽及花序梗尤其明顯
葉的特徵：葉三角形或長橢圓狀三角形，葉柄長，葉鞘腎形，具倒刺

花朵
著生位置：頂生，穗狀花序，聚生呈頭狀
類型：雌雄同株
大小：3㎜長
顏色：紫紅色
花莖：長，小花柄上有腺毛
花被：5深裂，裂片橢圓形

果實
型態：瘦果，膨大，三角形，暗褐色
大小：徑3㎜

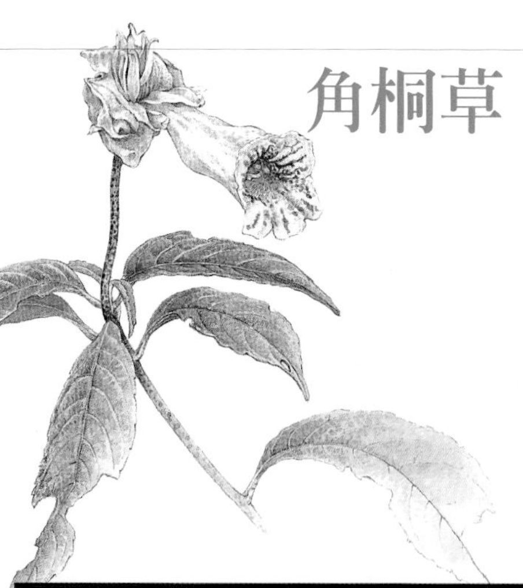

角桐草

中北部從低海拔至中海拔山區，潮濕的溪澗旁，常見小片生長的角桐草。這是台灣的特產植物，它的筒狀花外側白、內側佈有紫褐色斑，處於陰濕的環境中格外顯得耀眼。

角桐草通常以群生的方式出現，開花時期也頗壯觀，它的果實彎曲且帶著尾尖，往往在對生葉腋上伸出成對，十分可愛。屬於苦苣苔科的角桐草，同樣具有碩大的圓筒狀花冠，開花時，在幽暗的林下十分顯眼。

角桐草

科別：苦苣苔科
學名：*Hemiboea bicornuta*
英名：Taiwan bicornuta
別名：玲瓏草
類型：多年生草本
植株大小：高約1m多
生育環境：中北部海拔600～2500m山區林緣或陰濕草叢
花期：春～夏

莖與葉片

莖的特徵：肉質，光滑無毛
葉的特徵：對生，柄長2～6㎝，長披針形或鐮形，長約10～20㎝

花朵

著生位置：頂生或腋生，1至數朵花呈聚繖花序
苞片：有二型，膜質，外側苞片卵圓形，約3㎝，內側苞片卵形，約2㎝
類型：雌雄同株
大小：花冠長4㎝多
顏色：淡粉紅色
花莖：總梗2.5～7㎝長
花被：花冠圓筒狀鐘形，5裂；花萼披針形或橢圓形
雄蕊：4枚

果實

型態：蒴果呈彎曲圓筒形
大小：2.2㎝長，10.4㎝寬

俄氏草

俄氏草喜歡長在滴水、潮濕又見得到陽光的地方，以北部、東部1000公尺以下的山區最爲多見。夏季到山溪澗戲水，不妨在有水滴流的岩壁上找一找，也許能在隙縫間發現俄氏草。北部烏來往福山一帶、石碇皇帝殿等山區都找得到。

苦苣苔科的花朵，多數有長長的花冠筒，您不妨翻閱本書中這一科的野花，便能感受它們的花形特徵。這一科的植物更有許多是觀賞花卉，例如「大岩桐」、「口紅花」便是其中的兩種，所見長的也就是那碩大而長的筒狀花。

俄氏草

科名：苦苣苔科
學名：*Titanotrichum oldhami*
類型：多年生草本
植株大小：25～50cm
生育環境：中、低海拔略陰濕之林緣，以北部及東部花蓮地區較多見
花期：5～7月

莖與葉片
莖的特徵：莖圓筒狀，被有棕色毛
毛：全株被毛
葉的特徵：對生，有時互生，通常一小葉一大葉，長橢圓形，長可達22cm，兩面短柔毛，柄長2～6cm

花朵
著生位置：頂生，總狀花序
類型：雌雄同株
大小：每朵花長約3cm，花序很長
顏色：黃色
花莖：具有短花梗
花被：花冠筒先端5裂；花萼5裂，線形，被有絨毛
雄蕊：4枚
柱頭：花柱長約2.5cm
子房：有柔毛

果實
型態：蒴果卵球形，四開裂
大小：徑約1.5cm
種子：黑色，多數，細小

萎蕤

萎蕤不開花時，那互生、平行脈的葉片看起來和竹葉沒什麼兩樣。通常在北部山區腐植土較豐厚的林下、林緣較爲常見，陽明山、石碇一帶都是容易賞花的地點。

早在4月，萎蕤已開始綻放，從葉腋伸出的串串長筒下垂花朵，只悄悄在花冠頂端淺淺開裂，同爲百合科的一員，萎蕤並不像百合花那樣熱力張放。開過淡雅清爽的花朵之後，萎蕤的地上部會漸漸枯萎，只留下地下莖部過冬，因此在深秋或入了冬，便找不到它的蹤影。

萎蕤

科別：百合科
學名：*Polygonatum cyrtonema*
別名：玉竹、馬兒花、句隱草
類型：多年生草本
植株大小：1.2～2m高
生育環境：普遍分佈在600～2100m森林下，以北部較常見
花期：4～6月

莖與葉片
莖的特徵：地上莖單一不分枝，光滑，常呈叢生狀，地下莖發達
葉的特徵：披針形或長橢圓披針形，12～18㎝長，2～3.5㎝寬，薄膜質，光滑，葉緣略向外翻

花朵
著生位置：腋生，花2～4朵成繖形花序
類型：雌雄同株
大小：2.5～2.8㎝長
顏色：黃白色
花莖：小花梗5～10㎜長，總花梗1～2㎝
花被：花冠鐘形，6裂，光滑
雄蕊：6枚

果實
型態：漿果球形，黑褐色
大小：徑約8㎜
種子：圓形，徑約2～3㎜

串鼻龍

從海岸地區到山麓，串鼻龍常攀緣在其他樹木的樹冠、枝條上，也常爬在牆垣或圍籬。攀緣的功夫靠的不是捲鬚，而是細長的蔓莖和細長又能捲曲的葉柄。

串鼻龍之名乃有典故由來。以前的農家最常用串鼻龍稍具木質化的蔓莖，在穿過洞的牛鼻孔上織成環狀，好套牢牛鼻以便駕馭。長一輩的人對它也許印象深刻。

毛茛科鐵線蓮屬的植物，多數爲蔓性，兩兩對生的葉片是主要的特徵，它們多數都不具有花瓣。我們所見串鼻龍的4枚呈十字形開出的瓣片其實是萼片。這類植物尙有一個顯著特徵：它們具有多數的雄蕊和雌蕊，因此一朵花可以結好幾個瘦果。花謝之後花柱會伸長，並且長出細長的羽毛留在果實上，等到果實成熟後，這條羽毛尾巴就可以幫助它飛行傳播。小木通也是如此（請見秋冬篇163頁）。

串鼻龍

科別：毛茛科
學名：*Clematis gouriana*
英名：gourian clematis
別名：威靈仙
類型：多年生藤本
生育環境：中低海拔闊葉林下
花期：春～夏

莖與葉片
毛：全株被有粗毛
葉的特徵：葉有長柄12cm，對生，紙質，三出複葉或二回三出複葉，小葉掌狀深裂

花朵
著生位置：腋出，圓錐花序
類型：雌雄同株
大小：花序15cm長，每朵花徑約1cm
顏色：白色
花莖：小花梗與總梗皆細長
花被：萼片4枚，呈花瓣狀
雄蕊：多數，環列

果實
型態：瘦果，先端的尾狀部位有長毛

深山野牡丹

深山野牡丹屬於野牡丹科深山野牡丹屬，是台灣產的這一屬植物中唯一的一種，多見於高地森林中。從深刻的平行脈、關節狀彎曲的花絲，可以明顯看出它屬於野牡丹家族的一員。

深山野牡丹的花蕾呈紅色，未開花之前就十分嬌豔。四瓣白花正好可與開5瓣花的野牡丹屬植物明顯區別。

深山野牡丹

科別：野牡丹科
學名：*Barthea formosana*
英名：fomosan barthea，Taiwan barthea
別名：台灣深山野牡丹
類型：灌木
生育環境：中海拔以上的山區森林中
花期：3～6月

莖與葉片

莖的特徵：分枝多、細長，幼株有毛，成株光滑
葉的特徵：對生，長卵或長橢圓形，8～10㎝長，葉脈明顯3～5出脈

花朵

著生位置：頂生，1～3朵簇生於枝頂
類型：雌雄同株
大小：徑3㎝
顏色：白～帶有淡紅色
花莖：3～4㎜長
花被：萼片光滑，輪生，頂端4裂；花瓣4
雄蕊：8枚，花藥形狀奇特
柱頭：突出
子房：4室

果實

型態：蒴果，長橢圓狀球形
大小：7㎜長
種子：扁平楔形，有翅

肉穗野牡丹

雖然植株長得細小，但肉穗野牡丹的花仍相當美豔。相較於野牡丹的酷愛陽光，草本的肉穗野牡丹乃屬於陰性植物，喜歡冷涼環境而不耐強光照射。

肉穗野牡丹的4枚花瓣在基部聚合成淺杯狀，8枚雄蕊都聚集在這裡，使得黃色的花藥更形耀眼。花謝之後萼片仍然留著，這4枚萼片也合生成方形杯，造型極有趣。

未開花時要認得肉穗野牡丹，除了認得野牡丹的平行脈，還要特別留意葉緣長出的短短睫毛。

肉穗野牡丹

科別：野牡丹科
學名：*Sarcopyramis delicata*
英名：sarcopyramis
別名：肉穗草
類型：一年生草本
植株大小：3～15㎝高
生育環境：中海拔山區檜木林下及闊葉林內
花期：6～7月

莖與葉片
莖的特徵：莖上部翼狀，下部四角狀
毛：葉片有白毛
葉的特徵：膜質，對生，卵形或三角形，1～5㎝長，兩面具軟剛毛，邊緣有睫毛，主脈3條

花朵
著生位置：單生，有時會數朵叢生，頂出
苞片：葉狀
類型：雌雄同株
大小：徑約1.5㎝
顏色：粉紫色、粉紅或淡紅色
花莖：3～5㎜長
花被：萼片4枚，三角形，尖端有穗狀構造；花瓣4枚，倒卵形或長形，尖端3裂
雄蕊：8枚，花藥大而顯著
柱頭：頭狀
子房：半圓球狀，4室

果實
型態：蒴果，半球形，穗狀萼片宿存
大小：徑0.4～0.6㎝
種子：多數，三角狀長卵形

普剌特草

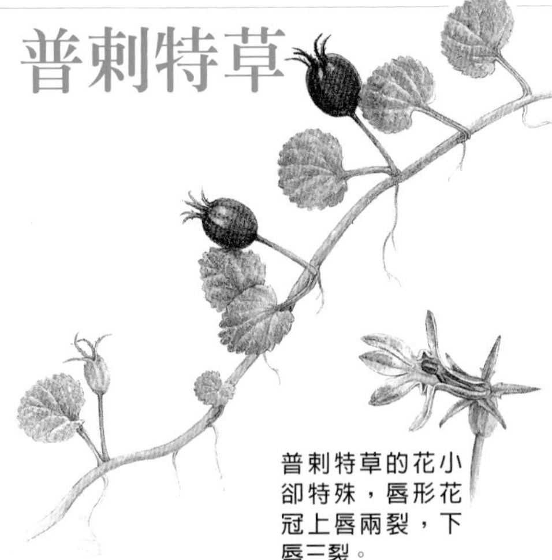
普剌特草的花小卻特殊，唇形花冠上唇兩裂，下唇三裂。

潮濕的山徑旁，匍匐著細細的走莖和小小圓形葉，每一片小葉都像是敲平了的汽水瓶蓋，邊緣繞著小小銳齒。普剌特草的花朵造型雖然特殊，可惜那麼迷你的小花難得有人留心觀賞。倒是它的果實，深紫色的橢圓形小秤錘，讓人眼前一亮。

「普剌特草」的名稱是從學名中的頭一個字（屬名）直接音譯而來，若記不得這樣的洋名，叫它「米湯果」，也十分可愛。

從淺山至高山，普剌特草分佈得相當廣。夏天若遇見它結果累累，不妨選一顆深紫熟透的漿果，嚐嚐它脆且有點甜的清爽野味。

普剌特草

科名：桔梗科
學名：*Pratia nummularia*
英名：pratia
別名：米湯果、老鼠拉秤錘、銅錘草、普拉特草
類型：多年生草本
植株大小：長約10～50cm
生育環境：400～3000m低至高海拔山區潮濕的斜坡或路旁
花期：4～8月

莖與葉片
莖的特徵：匍匐地面，節節生根
葉的特徵：互生，心狀卵形或近於圓形，鋸齒緣，長寬各約1～2.5cm

花朵
著生位置：單生於葉腋
類型：雌雄同株
大小：花冠約0.5cm寬
顏色：淡紫色
花莖：長1～2cm，比葉柄長，基部膨大
花被：花冠唇形，上唇2裂，下唇3裂
雄蕊：5枚

果實
型態：漿果橢圓球形，成熟時深紫色，7～11月果熟期
大小：1～2cm長
種子：卵圓形、細小、鮮紅色

台灣排香

在多雨的季節或地區，有許多植物只敢向下開出花蕊，如此一來，辛苦孕育的花粉才不會讓雨水刷走，也才能順利期待授粉，進而受精、結果。

儘管台灣排香有金黃色可愛小巧的花，但它仍然謹慎地開在那經常雷雨交加的山區。在潮濕而略有光線的森林邊緣或林下，細長的花梗垂吊著小小花朵，點點金黃色澤總是叫人眼睛一亮。

台灣排香

科別：櫻草科（報春花科）
學名：*Lysimachia ardisioides*
別名：排香
類型：多年生草本
植株大小：15～50cm高
生育環境：中低海拔闊葉林下，主要分佈在北部、南部和東部山區
花期：6～8月

莖與葉片
莖的特徵：多走莖，莖直立，有腺毛
葉的特徵：橢圓形，4～13cm長，葉表深褐色，葉背淺色，全緣

花朵
著生位置：腋生
苞片：線狀披針形，2～4mm長
類型：雌雄同株
大小：徑約2cm
顏色：黃色
花莖：3～5cm長
花被：萼片5深裂，卵形；花冠5深裂，卵形或披針形
雄蕊：5枚，花藥呈戟狀
柱頭：頭狀，伸出花外
子房：1室，圓球狀

果實
型態：蒴果，圓球形，白色，縱裂
種子：黑色，多數

台灣羊桃

這是台灣野生的小型「奇異果」，無論外形、顏色、表皮的毛茸和滋味都和奇異果相似，它產在中央山脈中海拔闊葉林中，到了秋季便是松鼠、獼猴、鳥兒們美味的佳餚。

獼猴桃科的植物都是蔓性或攀緣灌木，台灣產有7種獼猴桃，台灣羊桃是台灣的特有變種，原種產於中國大陸，市面上商品化的奇異果就是由它在澳洲改良成功的。台灣羊桃全株連果實都佈滿濃密的淡褐色長毛，果實成熟與否，從外表不易看得出來，通常變軟之後才可食。

台灣羊桃

科別：獼猴桃科
學名：*Actinidia chinensis var. setosa*
英名：Taiwan actinidia
別名：獼猴梨、羊桃藤、台灣獼猴桃
類型：落葉性藤本
植株大小：8m以上
生育環境：1600～2600m中高海拔闊葉林中
花期：夏

莖與葉片

毛：全株密被褐色長剛毛
葉的特徵：廣卵形或近似圓形，先端有短突尖，基部心形，短線狀，鋸齒緣，葉背網脈明顯，密被灰褐色星狀毛

花朵

著生位置：腋生，2～3朵呈聚繖花序
類型：雌雄同株異花
大小：徑約1.5cm
顏色：白或淡黃色
花莖：總花梗長約3～5cm
花被：花瓣5枚，波狀緣，闊倒卵形；萼片5裂，裂片鈍三角形
雄蕊：雄花有多數雄蕊

果實

型態：漿果橢圓形，密佈黃褐色毛茸，8～11月果熟期
大小： 4cm長

台灣懸鉤子

台灣野生的40多種懸鉤子，有的莖呈匍匐性，有的是直立或攀緣狀，多毛、帶刺幾乎是它們共有的特徵。出現在中高海拔乾燥地的台灣懸鉤子，是少見的無刺懸鉤子，莖上只密佈淡黃色毛茸。

雖然懸鉤子類的果實都可食，但有些懸鉤子果實上過多的毛茸與苦澀，令人望而卻步。台灣懸鉤子雖然在夏秋季節也會有紅色漿質小果，但外表看起來暗淡無光，食之甜中帶苦。它的花朵也總是欲開還閉，無法燦爛開綻。

台灣懸鉤子是半落葉性灌木，每年冬季，會有部份葉片呈美麗的紅褐或黃紅色。由於它喜愛陽光，總是出現在開闊的裸露路旁或林緣，很容易觀察到。

台灣懸鉤子

科別：薔薇科
學名：*Rubus formosensis*
英名：formosan raspberry
別名：南投懸鉤子
類型：灌木
植株大小：1～3m高
生育環境：海拔2000～3300m之中高海拔山區的次生灌叢、林緣
花期：6～8月

莖與葉片
莖的特徵：柔軟，蔓性，自基部分枝
毛：全株有柔軟密毛
托葉：膜質，卵形或長形，1～1.5㎝長，外表有毛
葉的特徵：灰綠色，闊卵至圓形，5淺裂，紙質，有粗澀感

花朵
著生位置：總狀花序，腋生
苞片：與托葉類似
類型：雌雄同株
大小：5～6㎜長
顏色：暗紅至淺白色
花莖：3～4㎜長，有毛
花被：萼片三角卵形，有密毛；花瓣闊卵形

果實
型態：多汁聚合漿果，紅色
大小：徑約1㎝

日本喜普鞋蘭

日本喜普鞋蘭那兩片扇形、表面摺疊的大葉片，堪稱喜普鞋蘭中的巨無霸。它是原產日本的蘭花雙葉草本植物，在原產地特別喜歡長於杉木林及竹林內。它的根莖橫走，由節處生根，常能長成大片群落。

台灣所產的日本喜普鞋蘭，主要分佈在中央山脈北部及東部花蓮山區，但多屬零星分佈或小片群落。

野生的喜普鞋蘭並不多見，若幸運能一睹風采，千萬別取走，畢竟離開它的原生環境，它便更難繁衍生存。

日本喜普鞋蘭

科別：蘭科
學名：*Cypripedium japonicum*
別名：一點紅
類型：地生性草本
植株大小：20～40cm高
生育環境：中央山脈2500～3000m山區，最常出現在東向坡及北邊
花期：5～6月

莖與葉片
莖的特徵：直立，基部有鞘
葉的特徵：2枚，對生，無柄，長卵圓形或卵形，徑10～20cm，表面褶疊

花朵
著生位置：單生於莖頂
苞片：葉狀，3cm長
類型：雌雄同株
大小：徑約10cm
顏色：粉紅色，花瓣基部有紅點
花莖：10cm長
花被：唇瓣圓球囊狀，花萼4枚
子房：2cm長，有密毛，紡錘狀

果實
型態：蒴果

奇萊喜普鞋蘭

在花市裡，我們看得到各式各樣栽培的拖鞋蘭，它們的共同特徵在於不同於其他蘭科植物的唇瓣。拖鞋蘭的唇瓣形成半橢圓形的囊袋，看起來像是拖鞋的前端。

喜普鞋蘭屬於拖鞋蘭中的一屬。台灣野生的喜普鞋蘭有三種，都屬於高山的野生蘭：奇萊喜普鞋蘭生長在陽光充足的開闊地；日本喜普鞋蘭喜歡較陰暗的樹蔭下；小喜普鞋蘭則是森林的地被植物，生長在土壤發育良好的地方。

奇萊喜普鞋蘭主要分佈在中央山脈北、中、東部山區，花蓮清水山石灰岩岩塊間也曾見到小片群落。雖然它廣泛分佈於世界各地，但在台灣野外發現的紀錄並不多。

奇萊喜普鞋蘭

科別：蘭科
學名：*Cypripedium macranthum*
別名：高山袋唇蘭
類型：地生性草本
植株大小：15～25㎝高
生育環境：3500m以上的高山草原或岩壁
花期：5～6月

莖與葉片
莖的特徵：根莖短而匍匐，直立單生，具有粗毛
葉的特徵：橢圓形或卵狀披針形，尖端銳，3～5枚，基部抱莖有鞘，全緣，具有粗毛，尤其是葉脈

花朵
著生位置：單生於莖頂
苞片：大型葉狀苞片，5㎝長
類型：雌雄同株
大小：徑5～7㎝
顏色：淡粉紅～紫色，有紅色條紋
花莖：5～6㎝
花被：唇瓣囊苞狀，口緣波狀；花瓣長橢圓形，上萼片橢圓形
雄蕊：心形，花粉塊粉質

果實
型態：蒴果
種子：小且多數

玉山懸鉤子

玉山懸鉤子匍匐蔓生在高海拔的岩屑地、裸露地上，春夏成片開放的小白花，夏秋黃澄澄的美味漿果，都令人賞心悅目。

玉山懸鉤子也是極少數無明顯鉤刺的懸鉤子類。它的莖節上具有不定根，被覆地表的繁衍能力十分快速，而且初春的新葉與冬季的老葉都會出現深紅色澤，美國因此曾一度引進作爲地表被覆植物。

玉山懸鉤子可說是高山最常見到的懸鉤子類，各處高山皆可看到它大片的群落。

玉山懸鉤子

科別：薔薇科
學名：*Rubus calycinoides*
英名：Yushan raspberry
別名：姬寒莓、玉山寒梅
類型：匍匐性亞灌木
生育環境：2000～3800m高海拔山區岩屑地、裸露地
花期：4～7月

莖與葉片
莖的特徵：莖節上會長出不定根
托葉：掌狀
葉的特徵：圓心形，3～5淺裂，柄長1～3㎝，葉面皺縮狀，冬季葉子變紅黃色，背面有褐色毛茸

花朵
著生位置：單出，腋生
苞片：2～3枚
類型：雌雄同株
大小：花瓣長約5㎜
顏色：白色
花莖：0.5～1㎝長，密佈毛茸
花被：花萼5裂，裂片呈三角狀披針形；花瓣倒卵形，5枚
雄蕊：多數

果實
型態：多汁的聚合核果，果熟期6～9月，橙黃色

梅花草

高山上略潮濕的坡地、灌叢邊，可以找到一種開5瓣白花的小草，從初夏到初秋，一根根直挺細緻的花莖從岩礫地中抽出。

梅花草因花型像梅花而得名，它莖上的葉只有一片，緊緊環抱莖部而不長葉柄。若細看它的花，裡頭可有與梅花不同的巧妙。花中間的子房圓而光滑，這是準備孕育種子的地方；而環繞著周邊的雄蕊卻以截然不同的兩種型態出現。眞正的5枚雄蕊之間又長出5枚帶著綠色調、上部裂成絲狀，只帶著黃色腺體、不產生花粉的假雄蕊。假雄蕊（不孕性雄蕊）的出現讓這樣單純可愛的白花有了生動的表情，也許人類的眼光經常會掠過不見，但想必爲它傳粉的昆蟲一定深深被吸引而來。

梅花草

科別：虎耳草科
學名：*Parnassia palustris*
類型：多年生草本
植株大小：3～15㎝高
生育環境：2300～3700m中央山脈潮濕遮蔭的山地
花期：6～8月

莖與葉片
莖的特徵：具短根莖
葉的特徵：根生葉具有長柄，圓心形或闊卵形；莖生葉1枚，無柄且抱莖，較小

花朵
著生位置：單生於莖頂，直立
類型：雌雄同株
大小：徑1.5～2㎝
顏色：白色
花莖：10～30㎝
花被：花萼5裂，裂片三角形；花瓣闊卵形或橢圓形
雄蕊：5枚；另有不孕的雄蕊5枚，先端裂成絲狀
柱頭：4裂
子房：圓形，光滑，綠色

果實
型態：蒴果，闊卵形，8～11月果熟期
大小：徑約1㎝
種子：多且細小

雙黃花堇菜

全台灣所產的11種野生堇菜植物中，雙黃花堇菜是唯一開黃色花朵的種類，同時也是數量最稀少的一種，儘管在全世界各地能普遍見到，但是在台灣，想看到雙黃花堇菜也只有攀登高峰了。

雙黃花堇菜多數齊聚生長。在南湖大山圈谷中的溪流畔或在主峰山頂附近，常見它和苔蘚混生，形成一小小塊狀群落。

雙黃花堇菜

科別：堇菜科
學名：*Viola biflora*
類型：多年生草本
生育環境：南湖大山及雪山3500m的高山上
花期：5～6月

莖與葉片
莖的特徵：地下莖有節、匍匐性
托葉：互生
葉的特微：柄長4～10cm，根生葉腎臟形，鈍鋸齒緣；莖生葉心型至腎藏形

花朵
著生位置：腋出，單生
類型：雌雄同株
大小：花小型
顏色：黃
花莖：細長
花被：萼片線狀披針形，5枚，有紫色線條，小小的距
雄蕊：5枚

果實
型態：蒴果，橢圓形，光滑

玉山小蘗

玉山小蘗常與玉山箭竹、玉山圓柏、玉山薔薇、玉山杜鵑混生，在森林界限的林緣或矮盤灌叢帶的岩屑地、岩原，以多刺不可侵犯之姿展露四季的面貌。

夏季盛花期，玉山小蘗整棵植物上都吊滿了黃花，到了深秋又換成深紅色果實，而此時葉片也漸轉深紅，漸漸進入落葉期。

台灣有7種小蘗屬植物，都是帶刺的灌木，唯獨玉山小蘗屬於落葉性，其中川上氏小蘗（請見126頁）葉腋簇生的小花達10至15朵；玉山小蘗的黃花花梗細長下垂，由於分佈的海拔更高，花期也就越晚。

玉山小蘗

科別：小蘗科
學名：*Berberis morrisonensis*
英名：Yushan barberry
別名：紅果小蘗
類型：小灌木
植株大小：1～1.5m高
生育環境：中央山脈高海拔3000～4000m森林界限的林緣、高山灌叢、岩屑地
花期：6～7月

莖與葉片
莖的特徵：莖多分枝，滿佈針刺，刺2～3枚輪生，長1～1.5㎝
葉的特徵：紙質，倒卵形，5～8片叢生短枝上，有刺狀鋸齒緣或全緣

花朵
著生位置：單生或3～5朵簇生短枝頂端，下垂開放
類型：雌雄同株
大小：花瓣長約5～6㎜
顏色：黃色
花莖：花梗長2～3㎝，細長下垂
花被：萼片5～6枚；花瓣闊橢圓狀
雄蕊：6枚

果實
型態：漿果，球形，成熟時呈深紅色，具長梗
大小：徑1㎝
種子：4～5粒，深紅色

玉山蒿草

輪生細裂的羽狀葉，頂著一串四面開花的紫紅色花蕊，玉山蒿草從春末夏初便開得燦爛。

蒿草類的草花廣泛分佈在北半球，已知約有500種之多。台灣所產的蒿草屬植物共有13種，有多種都是著名的野菜。

玉山蒿草屬於微陽性植物，林緣、路旁，甚至陰濕地都能生長，它既需要陽光也需要有深厚的土壤。在玉山以登山口至排雲山莊，合歡山以翠峰至昆陽一帶最常見，往往以小群叢生的方式聚成鮮明的花群。

玉山蒿草

科別：玄參科
學名：*Pedicularis verticillata*
別名：馬先蒿
類型：多年生草本
植株大小：15～20㎝高
生育環境：2500～3700m高山林緣或草地
花期：5～7月初

莖與葉片

莖的特徵：常4～11枚叢生一處，四稜形，多毛
毛：全株被有細毛茸
葉的特徵：輪生葉，每4枚由莖的同一點長出，狹長橢圓形，羽狀裂

花朵

著生位置：頂生或長於莖先端的葉腋，穗狀花序
類型：雌雄同株
大小：花冠長約1.5㎝
顏色：紫紅色
花被：花冠2唇裂，下唇有3裂片，以中裂片最大；花萼5裂，裂片三角形
雄蕊：5枚

果實

型態：蒴果，褐色
大小：長約1.5㎝

槭葉牽牛

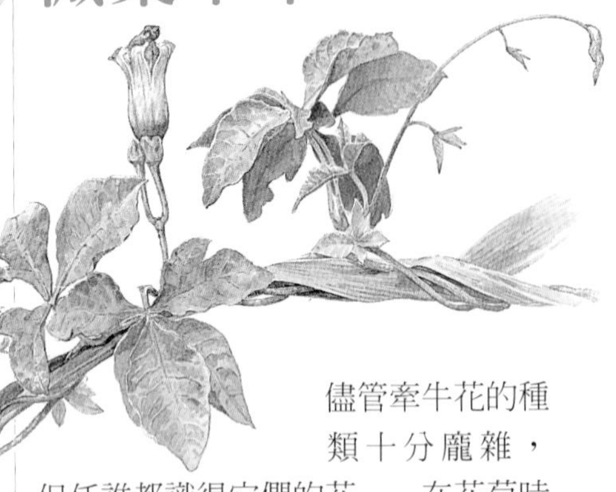

儘管牽牛花的種類十分龐雜，但任誰都識得它們的花——在花苞時期花冠扭擰成螺旋狀；花朵綻放後呈漏斗狀、鐘狀或盆狀，花大型而顯眼。這也是多數旋花科牽牛屬植物的幾項特徵。

槭葉牽牛原產北美洲，如今已是全島各地普遍可見的野花，它的葉呈掌狀5至7深裂，猶如槭葉一般。若仔細觀察，平野隨處可見的牽牛花幾乎以槭葉牽牛最常見。盛夏時期，它的花朵多得猶如一片紫色花海，蔓延在堤邊、野地，甚至在許多人家的牆垣、籬笆上，既是豔麗的觀賞植物，又是夏季極佳的涼棚。

槭葉牽牛

科別：旋花科
學名：*Ipomoea cairica*
英名：palmate leaved morning-glory
別名：番仔藤、掌葉牽牛、五爪金龍
類型：多年生蔓性草本
植株大小：莖可達長10m以上
生育環境：向陽荒廢地、平地、林邊、路旁
花期：全年，夏秋季盛開

莖與葉片

莖的特徵：基部略木質化，細長多分枝
葉的特徵：掌狀深裂，裂片5～7，腋芽會再長出小葉

花朵

著生位置：腋生，聚繖花序通常只著生1～3朵
類型：雌雄同株
大小：花冠徑4.5～6㎝
顏色：紫紅色
花莖：有短梗
花被：漏斗狀花冠，花瓣合生，5淺裂，裂片扇摺
雄蕊：5枚，隱藏在花冠筒內
柱頭：2裂

果實

型態：蒴果球形，少見
種子：黑色，4顆，具絲狀毛

銳葉牽牛

葉心形帶著尾尖的銳葉牽牛，分佈在整個熱帶地區，台灣多見於低海拔山區及平原。藍紫色的大喇叭花，花中央喉部露出乳白色。由於那碩大的花姿與蔓爬的莖葉型態，又有「碗公花」、「蕃薯舅」的別稱。

在牽牛花類的花冠上，可以明顯看到或較淺或較深顏色的5條褶痕，植物學家認爲這可能是牽牛花由離瓣花演化成合瓣花的證據。但無論如何，這些褶痕也儼然成爲諸多牽牛花花朵上的紋樣。

銳葉牽牛

科別：旋花科
學名：*Ipomoea acuminata*
別名：碗公花、蕃薯舅
類型：多年生蔓性草本
生育環境：低海拔山區、平地、荒廢向陽地、海邊
花期：6～9月為盛花期，全年可見

莖與葉片

莖的特徵：匍匐狀，略被毛
毛：全株有細毛
托葉：無
葉的特徵：闊卵圓形，偶有三淺裂，先端尖銳，有葉柄，基部心形，長4～10cm

花朵

著生位置：腋生，聚繖花序
苞片：線形
類型：雌雄同株
大小：5～8cm長
顏色：紅紫～藍紫色
花被：漏斗狀花冠，光滑；萼片被軟毛
雄蕊：5枚
柱頭：2裂
子房：光滑

果實

型態：蒴果，光滑
大小：徑約1～1.3cm
種子：約5mm長

海牽牛

海牽牛以海濱砂岸爲家，常見它蔓爬於灌叢枝頂，南部是它最大的聚集地。

它的漏斗形花冠展出5個尖銳的長三角狀褶痕，整朵花和馬鞍藤（請見秋冬篇51頁）極相似，只是略微小一點。不過，葉的形態倒是相去甚遠。

海牽牛的族群擴展力不強，較少見到大片蔓延的龐大景觀。

海牽牛

科別：旋花科
學名：*Ipomoea gracilis*
別名：細本牽牛花、藤仔網
類型：多年生蔓性草本
生育環境：沙岸地帶及海岸林
花期：6～9月

莖與葉片
莖的特徵：匍匐、纏繞生長
毛：全株光滑無毛
葉的特徵：卵形、廣卵形至長橢圓形，長3～10㎝，基部心形，略肉質

花朵
著生位置：1～3朵腋生
苞片：線形，1～2㎜長
類型：雌雄同株
大小：3～4.5㎝長
顏色：粉紅色或紫色
花莖：細長
花被：萼片光滑，長形；花冠漏斗形
雄蕊：5枚
柱頭：呈成對圓球狀
子房：光滑

果實
型態：蒴果，球形
大小：徑9㎜
種子：4，黑色，光滑

厚葉牽牛

厚葉牽牛也是海邊砂地的牽牛屬植物。它全株的模樣像是略微纖細的馬鞍藤，葉片肉質而凹頭。然而它並不像馬鞍藤能以龐大的繁花綠葉覆滿海灘地，往往總是單株蔓生在沙丘上，純白的小花零星張放，可列爲較稀少的牽牛類野花。

厚葉牽牛多分佈在北海岸三芝一帶、雲林以南的西海岸、恆春半島、小琉球、綠島、澎湖。肉質的厚葉片讓它在酷熱的砂地上仍然生機盎然。

厚葉牽牛

科別：旋花科
學名：*Ipomoea stolonifera*
英名：fiddle-leaf morning-glory
別名：白花馬鞍藤
類型：多年生蔓性草本
生育環境：沙岸地帶最常見
花期：6～9月

莖與葉片

莖的特徵：全株光滑，蔓性，匍匐生長
葉的特徵：互生，肉質，1.5～6cm長，變異極大，呈線形，披針形或卵圓形，基部鈍圓或有3～5裂成盾狀、扇形

花朵

著生位置：腋出，多為單朵
苞片：線形，2～3mm長
類型：雌雄同株
大小：3.5～5cm長
顏色：白色，喉部黃色
花莖：1.2～1.5cm長
花被：萼片長形；花冠漏斗狀
雄蕊：5枚
柱頭：膨大
子房：光滑

果實

型態：蒴果，圓球形，光滑
大小：1cm高
種子：外表覆有短絨毛

野牽牛

在終日陽光直射的海岸地區，野牽牛可以從海邊堤防一直蔓延到海岸林緣或灌木草地間。有時攀爬其他植物，織成濃密的「心型葉」網，開出

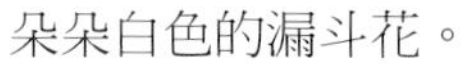

朵朵白色的漏斗花。

旋花科的植物以熱帶至亞熱帶為分佈中心，幾乎越熱的地方花開得越好。像野牽牛，也是酷熱族，台南以南十分常見，而且花期也似乎終年不斷。

野牽牛是牽牛類植物中，花朵較能耐光照的一種，可以一直開到午後仍未見凋萎。它的種子量大，繁衍力十分強勢，因此，其生態幅度也極廣。

野牽牛

科別：旋花科
學名：*Ipomoea obscura*
別名：姬牽牛
類型：一年生蔓性草本
生育環境：海濱或海邊之低海拔空曠地、林緣
花期：幾乎全年可見開花

莖與葉片
莖的特徵：纖細
葉的特徵：廣卵形，先端尖，基部心形，全緣，互生

花朵
著生位置：腋出，1～3朵簇生
類型：雌雄同株
大小：長1.5～2.5㎝
顏色：乳白色
花莖：1～2㎝
花被：花冠漏斗形；萼片卵形
雄蕊：5枚

果實
型態：蒴果，卵形

紅花野牽牛

紅花野牽牛十分畏強光，只要強光一照射，花朵不久便閉合，因此，幾乎只有在清晨或遮蔭處可以看到花開。不過，每一朵花卻可以連續綻放3至7天，是牽牛花類中花朵壽命較長的一種。

本種主要以中、南部爲據點。其葉形變異頗大，即使是在同一株裡也能找到三裂、圓形或心形不同的葉片。

紅花野牽牛

科別：旋花科
學名：*Ipomoea triloba*
英名：red flower morning-glory
類型：一年生蔓性草本
植株大小：不定
生育環境：低海拔開闊原野至海岸
花期：4～7月

莖與葉片

莖的特徵：細長纏繞
葉的特徵：多數為闊卵形，呈3深裂，全緣，表面具毛茸

花朵

著生位置：腋生，聚繖花序
類型：雌雄同株
大小：徑約1～2㎝
顏色：淡紅紫色
花被：花冠漏斗形
雄蕊：5枚
子房：有毛茸

果實

型態：蒴果近圓形，有毛茸
大小：徑約0.5～0.7㎝
種子：黑色

大萼旋花

果實

大萼旋花也盛產於恆春半島空曠的海邊，經常沿著熱帶海岸林的邊緣攀爬。它的花和牽牛花看起來並無不同，但果實卻大異其趣。同樣是結蒴果的旋花科植物，大萼旋花的果實卻因被膨大、肉質的花萼整個包裹起來，看起來格外肥大。

大萼旋花屬的花朵比牽牛屬的花來得大，開花時間多在傍晚及夜晚，全球熱帶地區都有它的族群分佈。台灣以恆春半島海邊最常見。

大萼旋花

科別：旋花科
學名：*Stictocardia tiliifolia*
別名：大葉濱牽牛
類型：藤本
生育環境：南部空曠海邊及低海拔森林內
花期：7～10月

莖與葉片
莖的特徵：嫩莖被有短柔毛
葉的特徵：心形或廣卵形，葉背有小黑點，柄長3～14㎝

花朵
著生位置：腋出，單生
類型：雌雄同株
大小：長8～10㎝
顏色：淡紅紫或白色
花莖：有毛，長1～3.5㎝
花被：萼片圓形；花冠寬漏斗形
雄蕊：5枚

果實
型態：蒴果，球形，成熟時不開裂，暗褐色
大小：2～3.5㎝長
種子：4枚，8～9㎜長，黑色，被短柔毛

菟絲子

人們形容「菟絲戀」是糾纏不清的愛情，若見過菟絲子便不難理解個中原由。它的花朵細小，數朵密生在莖上，細長的黃色莖以左旋纏繞方式糾住寄主，重重纏繞之後，早已理不出頭緒。

菟絲子屬於旋花科菟絲子屬，是海邊常見無根無綠色葉的寄生性植物，它的絲狀莖會隨處生出吸器吸附在寄主身上，經過大量繁衍，蔓莖纏繞成一片濃密網線，而寄主往往已被抽乾養份，生命岌岌可危。

菟絲子屬可說是旋花科植物中的異類，雖然開花能力並不遜色，但花型卻看不出和牽牛花有任何關聯。

菟絲子與寄主蔓荊

菟絲子

科別：旋花科
學名：*Cuscuta australis*
英名：dodder
別名：無根草、豆虎、菟絲
類型：一年生寄生蔓性草本
生育環境：開闊向陽的砂灘、堤防、平野
花期：4～7月

莖與葉片
莖的特徵：攀緣性，絲狀，橙黃色，長有多數吸器
根的特徵：無根
葉的特徵：退化成鱗片狀，互生

花朵
著生位置：簇生在莖上
類型：雌雄同株
大小：徑約0.2㎝，花序很短
顏色：白色
花莖：極短
花被：花萼5裂，與花冠等長；花冠短鐘形，5裂
雄蕊： 5枚

果實
型態：蒴果扁球形，不規則裂
大小：徑約3㎜

天人菊

原產北美洲的天人菊在1910年引進台灣之後，便以驚人的繁殖能力廣佈澎湖群島及台灣北部海岸。它耐風、抗潮、生性強韌，是良好的防風定砂植物。

天人菊的花色與舌狀花瓣的形態有些許變化，舌狀花有時呈黃褐色或紅褐色，基部又呈紫紅色，開花時十足豔麗，偶見校園、花圃也有栽培。

想要自行栽種天人菊並不難，秋季至北部海濱（像淡水、金山、野柳）或澎湖採集種子，於翌年立春前後播種，到了夏天便可賞花。

天人菊

科別：菊科
學名：*Gaillardia pulchella*
英名：gaillardia，fire-wheel
別名：忠心菊、矢車天人菊
類型：一年生草本
植株大小：20～60cm高
生育環境：澎湖群島及北部海岸
花期：6～8月

莖與葉片
毛：全株被有柔毛
葉的特徵：互生，披針形或長橢圓形，長約10cm

花朵
著生位置：頂生或腋生，頭狀花序
苞片：總苞片披針形
類型：雌雄同株
大小：頭狀花徑約5cm
顏色：外圍的舌狀花基部紫紅色，外圈黃色
花莖：具長花梗
花被：舌狀花3中裂，管狀花上有細長的紫色毛茸

果實
型態：瘦果，冠毛鱗片狀具有長芒
大小：長約2～3cm

蓬萊珍珠菜

蓬萊珍珠菜是台灣的特產，主要以北部海岸、平野農田爲據點，偶在中海拔山麓也能看到。

它和海綠都屬於櫻草科植物，爲了能適應海邊的環境，也和大多數高山的櫻草科植物一樣，植株變小，葉片也增厚了，於是，它們的花朵也相對地看起來更大更耀眼。

蓬萊珍珠菜

科別：櫻草科（報春花科）
學名：*Lysimachia formosana*
英名：formosa loosestrife
別名：蓬萊排草
類型：多年生草本
植株大小：長10～25㎝
生育環境：北部海岸及農田
花期：6～7月

莖與葉片
莖的特徵：斜上生長，基部匍匐
毛：全株有毛
葉的特徵：對生，卵形到菱圓形，2～3㎝長，全緣

花朵
著生位置：腋生
類型：雌雄同株
大小：徑0.8～1.2㎝
顏色：黃色
花莖：5～10㎜長，有毛
花被：萼片5枚，披針形，有毛；花瓣5深裂，長卵圓形，邊緣齒狀
雄蕊：5枚，與花瓣合生
柱頭：膨大
子房：圓球狀，1室

果實
型態：蒴果，褐色，圓球形，有毛，縱裂
大小：徑0.5～0.6㎝
種子：球形

濱刀豆

全台灣海濱砂岸都看得到濱刀豆，特別是在南部佳樂水一帶以及北部金山沿海，生長特別繁茂，它耐鹽、耐風又耐貧瘠，是優良的防風定砂植物。

長橢圓狀肥厚的刀形莢果，是濱刀豆最著名的特徵，它能覆蓋砂灘，也能攀緣其他植物。當天氣太熱或過度乾旱時，小葉會自中肋（葉中央的主脈）閉合，以減少水分蒸發。

濱刀豆紫紅色的蝶形花，從春至秋幾乎不曾間斷，甚至有時在冬天也可見到。若住在濱海一帶，種植濱刀豆似乎既有利防砂也能賞花呢！

濱刀豆

科別：豆科
學名：*Canavalia lineate*
英名：Jackbean · seaside bean
別名：肥豬豆、肥豬刀、豆仔藤
類型：多年生攀緣或匍匐性草本
植株大小：莖可達5m長
生育環境：海濱砂岸，以北部的金山及南部佳樂水一帶最常見
花期：7～10月為盛花期，全年可見

莖與葉片
莖的特徵：細長，每節生根
葉的特徵：三出複葉，頂小葉倒卵形，全緣，大而厚，長5～10cm

花朵
著生位置：腋生，總狀花序有2～3朵花
類型：雌雄同株
大小：長2～3cm
顏色：紅紫色
花莖：短
花被：花冠蝶形；花萼2裂
雄蕊：10枚，成單體雄蕊

果實
型態：莢果厚革質，長線形
大小：長約10cm
種子：3～7顆，徑約1.5cm，黑色

草海桐

草海桐是分佈普遍的海邊植物，無論砂地或岩石地，都可以發現它粗莖肉質葉的植株。若長在迎風的環境，原本能長至3公尺高的身體也會壓低成矮小灌木。

垂放半邊的小白花點綴在肥大的葉片下，十分有趣，每個花瓣緣又像滾上蕾絲邊，搭配著彎曲的花柱，整體造型精緻極了。

草海桐肥厚滑嫩的葉片，川燙後便能熱炒出一道可口野菜，而它成熟的果實略具甘甜，也能生食。草海桐經常以成片的族群在海岸一帶生長，離海岸不遠的漁村裡也頻繁可見，在這種風勢不大的避風角落，常可見到它長得氣派魁梧。

草海桐

科別：草海桐科
學名：*Scaevola sericea*
英名：scaevola ，fanflower
別名：海桐草、水草仔
類型：常綠性灌木
植株大小：約可達3m高
生育環境：海濱砂岸或珊瑚礁海岸
花期：夏

莖與葉片
莖的特徵：粗大，分枝圓柱形
葉的特徵：互生，肉質，叢聚枝端，長倒卵形，長約10～20㎝

花朵
著生位置：腋生，聚繖花序
苞片：近線形，基部有長柔毛
類型：雌雄同株
大小：長約2.5㎝
顏色：白色
花莖：短
花被：花萼5裂；花冠筒狀，內面有毛，先端不對稱5裂，裂片皺波狀緣
雄蕊：5枚
柱頭：向下彎曲
子房：2室

果實
型態：核果球形，成熟時白色多汁，可生食
大小：徑約1.5㎝
種子：堅硬

香蒲

香蒲屬是香蒲科中唯一的一屬，在台灣常見的有兩種──香蒲與水燭，共同的特徵便是那俗稱「水蠟燭」的圓柱形穗狀花序。此花序雌雄同株，莖最前端結的是雄花序，其下接著雌花序。它們的花非常非常的小，而且無論雄花或雌花在基部都有長長的毛；種子則靠風和水力傳播。

水燭（*T. angustifolia*，又叫狹葉香蒲）全株比香蒲細長，葉片比較狹窄，花序更為瘦長，且雄花序和雌花序上下分離不連接，兩者容易辨認。

雄花序
雌花序
香蒲
（*Typha orientalis*）
水燭
（*Typha angustifolia*）

香蒲

科別：香蒲科
學名：*Typha orientalis*
英名：oriental cattail
別名：東方香蒲、水燭香蒲
類型：多年生挺水高大草本
植株大小：可達2m高
生育環境：沼澤濕地、水邊、荒廢水田
花期：4～9月

莖與葉片
莖的特徵：地下莖匍匐泥中；地上莖圓柱形，直立
葉的特徵：直立，線形，長50～100㎝，基部成鞘狀抱莖

花朵
著生位置：頂生，穗狀花序呈圓柱形
苞片：線狀
類型：雌雄同株
大小：雌花穗長6～10㎝；雄花穗長3～5㎝
顏色：褐色
雄蕊：1～3枚
柱頭：漏斗狀
子房：卵圓形，基部著生長毛

果實
型態：小堅果，具長毛
種子：具有毛絮

台灣石弔蘭

台灣石弔蘭往往附著在較潮濕的樹幹或岩壁上。在中低海拔闊葉林下，幾乎全島可見。它是著生性的小灌木而非蘭科植物，淡紫色的長筒狀花冠，大方高雅。

蘭嶼也另有一特有種——蘭嶼石弔蘭，同樣喜歡高溫濕潤的環境，也多半著生在潮濕、長滿苔蘚的樹幹或岩石上，屬於稀有植物。也許因為它們的習性和蘭花類似，再加上中國人總喜歡將清新優雅的花朵稱為蘭，有此名稱並不足為奇。

石弔蘭花大型美觀，可算是野花植物中十分突出的一類。

台灣石弔蘭

科別：苦苣苔科
學名：*Lysionotus pauciflorus*
類型：著生性小灌木
植株大小：15～30㎝高
生育環境：中低海拔闊葉林下，全島分佈
花期：春～夏

莖與葉片
莖的特徵：具有走莖，偶有分枝
葉的特徵：互生，革質，偶有4片葉近於輪生，橢圓形，長2～6㎝，寬8～15㎜，葉緣略反捲，鋸齒緣，光滑

花朵
著生位置：頂生或腋生，單朵或數朵，呈聚繖狀
類型：雌雄同株
大小：長3～4㎝
顏色：淡紫色
花莖：3㎝長
花被：萼5裂，裂片披針形，具疏毛；花冠管狀，2唇裂
雄蕊：4枚，2枚可孕性
子房：管狀，2㎝長

果實
型態：蒴果，圓柱形
大小：4～8㎝長
種子：橢圓形，1㎜長

刺茄

茄科植物開的多半是輪形花——花冠筒很短，花瓣寬闊開展，形狀有如車輪一般。我們熟悉的茄子、蕃茄開的都是這樣的輪形花。

刺茄在低海拔的郊區平野十分常見，莖葉上的銳刺與橙紅果實令人印象深刻。它的果實外皮有極光滑的觸感，而果皮的堅硬也有別於蕃茄。

茄科的果實多數在未成熟前具有毒性，野地裡若發現這類果實也應特別小心，別因爲它和蕃茄長得像便任意嚐食。

刺茄

科別：茄科
學名：*Solanum aculeatissimum*
英名：gold silver nightshade，love apple
別名：紅水茄、獺茄
類型：多年生直立草本或亞灌木
植株大小：30～80cm
生育環境：1000m以下的路旁、田邊或海邊、平野
花期：春～秋

莖與葉片
莖的特徵：莖葉具有銳刺
毛：全株被有軟毛
葉的特徵：互生，有長柄，廣卵形或卵狀心形，5～7淺裂，長7～16cm

花朵
著生位置：腋生，聚繖花序，花1～4朵
類型：雌雄同株
大小：徑約1.5cm
顏色：白或淡藍紫色
花莖：約1.5～2cm長
花被：花冠輪形，5裂，裂片披針形；花萼鐘形，5裂，有尖刺
雄蕊：5枚，花絲甚短

果實
型態：漿果球形，光滑無毛，成熟時橙紅色
大小：徑約2～3cm
種子：多數，扁平

毛西番蓮

毛西番蓮全株佈滿毛茸，果實由3片羽裂狀的苞片包裹著，成熟後苞片裂開來，一顆顆黃橙橙的果實又甜又可口，果熟期常看到被鳥兒啄啃過的殘果留在梗上。

這是原產南美的西番蓮類野草，總是攀附在其他植物上或到處蔓爬覆蓋地表，在中南部十分常見。由於它也常出現在珊瑚礁後灘至後岸，亦可列為海岸植物。

毛西番蓮酷愛陽光、乾燥，在南部常形成大片族群，往往被視為危害農作物的雜草。但它的花、果實在很美，若栽培成攀爬植物應十分具有野趣。

毛西番蓮

科別：西番蓮科
學名：*Passiflora foetida* var. *hispida*
英名：weed passion flower
別名：龍珠果
類型：二年生蔓性草本
生育環境：中南部海濱砂地、平野、路旁，蔗田亦常見
花期：4～8月
莖的特徵：蔓性極長，分枝繁茂

莖與葉片
莖的特徵：蔓性，分枝繁茂
毛：全株密生2～3㎜長的白色長毛
托葉：寬大，有腺毛
葉的特徵：互生，3裂，卵形或長橢圓狀卵形，有長柄；捲鬚及花均由葉腋長出

花朵
著生位置：單生，由葉腋長出
類型：雌雄同株
大小：徑4～5㎝
顏色：白色或粉紅色
花莖：很長，基部有3片顯著的絲狀裂片
花被：花萼5片，與花瓣同長，另有紫色裂片狀的副花冠3排
雄蕊：5枚
柱頭：下垂

果實
型態：漿果，卵球形，成熟呈橙色
大小：徑約1㎝
種子：橢圓形

馬齒莧

平野、路旁的馬齒莧十分常見，它的葉片厚厚的，是耐乾旱的強韌野草。即使將它拔起扔在路旁，久久也不會枯萎，若遇到下雨天，照樣又能生根蔓延。早期農家喜歡摘它來餵豬，豬仔愛吃又營養，俗稱「豬母乳」。

馬齒莧的花小巧可愛但不醒目，通常在夏天清晨綻放，中午前便凋謝，短短半天的壽命常讓人錯過賞花時間。

馬齒莧這一類的果實有很重要的特徵：成熟時就像掀開蓋子似地橫向開裂，在植物學上稱爲「蓋果」。

現今，也許豬仔已難再吃到馬齒莧，倒是某些小地方的野菜館會炒出可口滑嫩的「豬母乳」野菜，或許你也來試試，先煮燙後再熱炒是要訣。

蓋果的果實橫向開裂

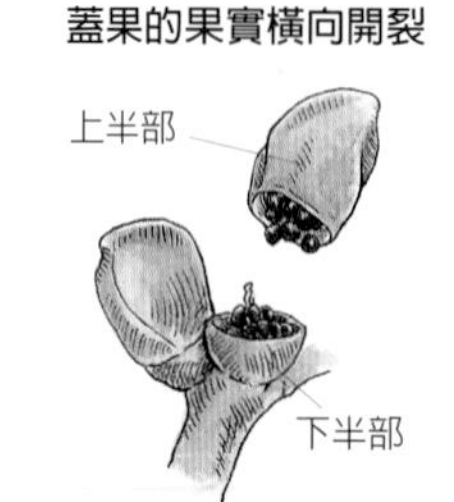

馬齒莧

科別：馬齒莧科
學名：*Portulaca oleracea*
英名：purslane
別名：長命菜、豬母乳
類型：一或二年生草本
植株大小：長15～30cm
生育環境：平地、山野、路旁、荒地至海濱
花期：7～8月

莖與葉片
莖的特徵：全株肉質，多分枝，基部匍匐地表，帶紅紫色
毛：除葉腋外，全株無毛光滑
葉的特徵：長橢圓倒卵形，全緣，肉質，略帶紫紅色，長1～2.5cm

花朵
著生位置：頂生或腋生，3～5朵聚生枝端
類型：雌雄同株
大小：直徑6～8mm
顏色：黃色
花被：萼片2枚；花瓣5，凹頭，長橢圓形，比萼片稍長
雄蕊：7～12枚
柱頭：3～5裂

果實
型態：蒴果蓋裂
大小：長約5mm
種子：多而細小，黑色

紫蘇草

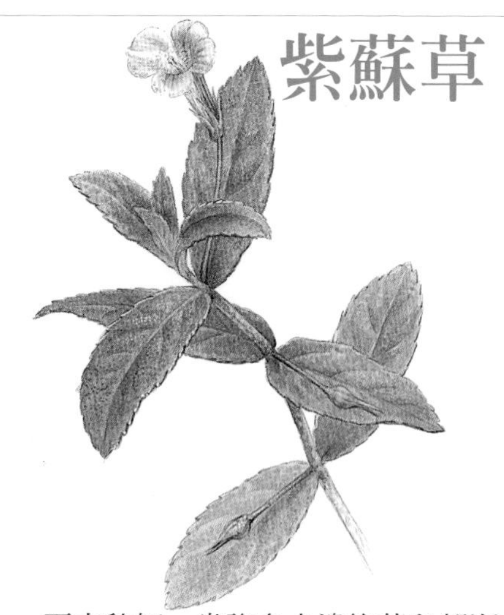

夏末秋初，當許多水邊的花兒都漸漸進入結果期，卻見紫蘇草依舊挺出長筒的紫色小花。它的莖葉可當野菜，民間也常用它的莖葉治療婦人的腹痛及頭暈目眩。

由於玄參科、唇形科、爵床科的花形都有些類似（花冠呈唇形），因此要辨認這三科植物就得掌握要點：唇形科植物的莖爲方形，花冠爲標準的唇形花，略具芳香；爵床科的莖節有膨大現象，花序上有明顯的苞片；玄參科則全無以上特徵，它的花冠類似唇形，裂片較不整齊。

紫蘇草

科別：玄參科
學名：*Limnophila aromatica*
別名：田香草、水花
類型：一年生草本
植株大小：10～45cm高
生育環境：田邊、溝渠旁之潮濕地或休耕田內，多有叢生
花期：夏～秋

莖與葉片

莖的特徵：圓形、光滑，直立或匍匐斜上
根的特徵：著地之莖節會生根
毛：無
葉的特徵：對生或3片輪生，線狀長橢圓形，長3.5cm，無柄，粗齒緣

花朵

著生位置：頂生或腋生，單一或呈總狀花序
苞片：2枚
類型：雌雄同株
大小：1.2cm長
顏色：粉紅色
花莖：花梗長6～9mm
花被：花冠5裂，筒狀唇形；萼5裂，裂片披針形
雄蕊：4枚，2長2短

果實

型態：蒴果長橢圓形
大小：6mm長
種子：黑褐色，圓柱形

長梗滿天星

長梗滿天星總是一大片出現在溝渠旁或水窪地。葉對生，節節生根，橫走的莖生根後又會長出新植株，因此能迅速向四面八方擴展。

點點灰白色的球形花團讓長梗滿天星因此得名，也因此耀眼。乾膜質的花被片即使在花謝後也仍然留著，讓它看起來像是永不凋謝的乾燥花。台灣野生的莧科滿天星屬植物有滿天星、節節花和長梗滿天星。前兩者的花序都緊緊貼在葉腋上，只有長梗滿天星的花序具有長長的梗，很容易辨認。小花密集成的球形花序由下往上開，仔細瞧瞧，通常下方的花被片裡蕊絲都已消失，而上方的花苞還未綻放。

長梗滿天星

科名：莧科
學名：*Alternanthera philoxeroides*
英名：alligator alternanthera
別名：水花生、空心蓮子草
類型：多年生草本
生育環境：2000m以下向陽潮濕地
花期：4～7月

莖與葉片
莖的特徵：橫臥斜上，空心，節節生根
葉的特徵：對生，倒披針形，全緣，光滑，長2～5cm

花朵
著生位置：腋生，多數小花聚成圓球形穗狀花序
苞片：3枚
類型：雌雄同株
大小：花序徑約1cm
顏色：灰白色
花莖：花序軸約2cm長
花被：5片，乾膜質，橢圓形至長橢圓形
雄蕊：5或6枚
柱頭：單一，頭狀

果實
型態：囊果圓球形，成熟後黑色，包裹於花被片內

倒地鈴

倒地鈴鼓脹的小氣球果皮、柔軟輕盈的綠葉，不僅經常出現在中南部鄉間、野地，有時也看到它成爲盆栽或園藝植物，入主到庭園花圃。

希望栽種倒地鈴，可以在秋天採集氣囊中成熟的黑種子，隨即播種或等到隔年春天3、4月再入土，到了6、7月便會開花，8、9月結果，冬季也會落葉或枯萎。它的花朵雖小，但觀果期甚長。

通常無患子科植物都是高大的喬木，像龍眼、台灣欒樹、無患子等等，倒地鈴卻是無患子科中極少數的蔓性草本。

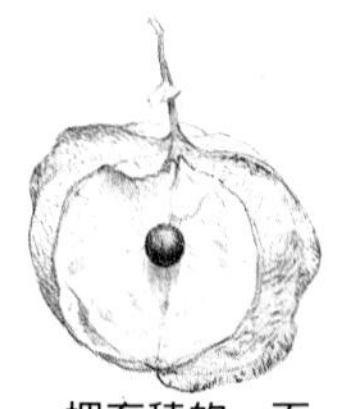

把有稜的一面果皮剝開，就可以看見種子。

倒地鈴

科別：無患子科
學名：*Cardiospermum halicacabum* var. *microcarpum*
英名：balloon vine，heartseed
別名：鬼燈籠、假苦瓜、風船葛
類型：多年生蔓性草本
植株大小：莖可達3m
生育環境：海濱、路旁、荒地或低海拔山區
花期：夏

莖與葉片
莖的特徵：細長，有捲鬚
葉的特徵：互生，二回三出複葉，薄紙質，外輪廓三角形，有深鋸齒緣

花朵
著生位置：聚繖花序，腋出
類型：雌雄同株
大小：徑約0.5cm，不醒目
顏色：白色
花莖：花梗比葉長，靠近花的梗上對生二條捲鬚
花被：花萼、花瓣各4片
雄蕊：8枚
柱頭：3裂
子房：3室

果實
型態：蒴果，倒卵形或近似球形，有三稜角，膨脹如小氣球
大小：徑約2.5cm
種子：黑色，具有白色心型斑

台灣野牡丹藤

台灣野生的野牡丹藤有兩種，一是產於蘭嶼的蘭嶼野牡丹藤，一是產於高雄扇平、屏東南仁山、台東大武的台灣野牡丹藤。兩者在形態上十分相近，粉紅的長串花序、果實，無不令觀賞者嘖嘖稱讚。

台灣野牡丹藤的花序與葉序都呈層層分明的輪狀排列，細長的莖頂垂掛大型花串，是極具觀賞性的野花。它的花軸隨著果實的成熟，色澤越來越深紅，與紅褐色的果實成了整體色彩搭配。細看植物的外觀、形態，天賦的美感總往往叫人讚嘆。

台灣野牡丹藤

科別：野牡丹科
學名：*Medinilla formosana*
英名：formosan medinilla，Taiwan medinilla
別名：蔓野牡丹、藤野牡丹
類型：常綠蔓性灌木
生育環境：南部及東部500～1000m低、中海拔叢林間
花期：6～8月

莖與葉片
莖的特徵：細長，節上有一圈粗硬短毛，每節長7～10cm
葉的特徵：光滑，對生或輪生，長橢圓狀倒卵形或倒卵狀披針形，長10～20cm，雙重三出脈

花朵
著生位置：頂生，繖形花序再作輪生狀分枝
苞片：線形，3mm長
類型：雌雄同株
大小：花序長25cm
顏色：粉白～粉紅色
花莖：6mm長
花被：萼片光滑，花瓣4枚，長卵形
雄蕊：8枚
柱頭：小，花柱長4mm
子房：半圓球狀，頂部截形

果實
型態：漿果，圓球形，頂部有萼片宿存
大小：徑7mm
種子：多數，長倒卵形

葛藤

葛藤是山野中常見的大型蔓藤。這一屬的植物在台灣有3種，外形皆十分相像，台灣葛藤是自生種，熱帶葛藤（只長在南部，莢果上的毛茸不多）與葛藤是引進後馴化的外來植物。

葛藤的蝶形花密生在花軸上直立著，有很好的氣味，但容易凋落。它有粗大的根可以製造「葛粉」；乾燥的根又是感冒藥「葛根湯」的原料；取自莖皮的纖維可織布，稱為「葛布」。如此看來，葛藤不僅美麗，又與人類生活息息相關。

葛藤

科別：豆科
學名：*Pueraria lobata*
英名：kudzu，kudzubean
別名：葛麻藤、大葛藤
類型：多年生蔓性藤本
生育環境：低海拔山野
花期：7～10月

莖與葉片
莖的特徵：蔓性，基部木質化
毛：全株佈有黃褐色粗毛
托葉：披針形，長15～20cm
葉的特徵：3出複葉，小葉菱狀卵形，長10～15cm，多半具有淺3裂，背面有淡白色毛茸

花朵
著生位置：腋生，密集的總狀花序
類型：雌雄同株
大小：每朵花長約2cm
顏色：紅紫色
花莖：小花花梗極短；花序具長梗
花被：蝶形花，旗瓣圓形，有距
雄蕊：10枚雄蕊合生成單體雄蕊

果實
型態：莢果扁平，密生褐色剛毛
大小：長約5～10cm
種子：橢圓形

月桃

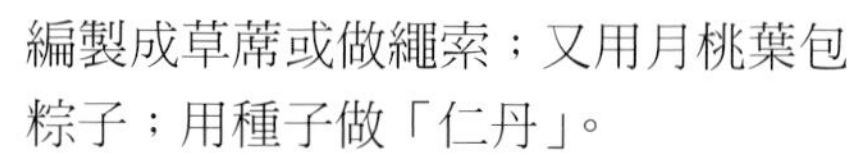

月桃花兒，水靈靈的白紅相間，氣味香濁。大型長葉，青綠光鮮，若想摘下一葉，怎麼扯也扯不斷。

自古以來月桃就深深具有民俗味，昔日農家用月桃莖狀的葉鞘，曬乾後編製成草蓆或做繩索；又用月桃葉包粽子；用種子做「仁丹」。

端午節前後正是月桃盛開時，欲賞月桃花可到郊野淺山，它的花可要近近地看，看它白瓣裡吐出黃唇的美妙，若想取一串回家插飾，勸您打消念頭，它的莖葉雖強韌，花朵卻極易凋落，沒一兩天功夫便只留下粗粗的花梗。

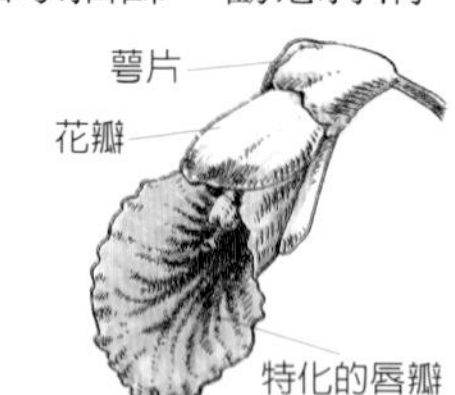

月桃

科別：薑科
學名：*Alpinia speciosa*
英名：shell flower，shell ginger
別名：豔山薑、玉桃
類型：多年生大型草本
植株大小：1～3m高
生育環境：低海拔山區林蔭下
花期：晚春～夏

莖與葉片
莖的特徵：地下莖向四周蔓延繁生，地上植株多成叢狀
葉的特徵：廣披針形，長60～70㎝，葉鞘很長，相互緊抱排列成稈狀

花朵
著生位置：頂生，圓錐花序下垂性
類型：雌雄同株
大小：花序長約20～30㎝
顏色：白色
花莖：小花具梗，長約2㎝
花被：花冠大型漏斗狀，，唇瓣特別大，黃色，中間帶有紅點及斑條；花萼管狀
雄蕊：3枚，2枚花瓣狀，1枚可孕性

果實
型態：蒴果球形，外有多條縱稜
大小：徑約1.5㎝
種子：藍灰色，多數，有香氣

雞屎藤

不過，無論長出什麼樣的葉片，長一輩的人幾乎都認得它，因爲它可是民間常用的草藥，對胃腸不適、小感冒、咳嗽還頗有藥效。

很多人對雞屎藤特殊的腥味敬而遠之，尤其在揉搓莖葉之後，臭氣更令人招架不住。

但雞屎藤的花其實頗美的。只要別招惹弄出它的防衛性臭氣，就近觀賞倒也相安無事。它的小小鐘形花外白內深紫或紫紅。看著盛花期朵朵綻放的小花鈴，也許很多人想不出它竟是平日毫不起眼的雞屎藤。

雞屎藤分佈之普遍令人咋舌，菜園籬笆、平野、林緣，甚至海岸附近都找得到。它的葉片變異頗大，有時卵形，有時長橢圓形、披針形或劍形。

雞屎藤

科別：茜草科
學名：*Raederia scandens*
英名：Chinese fevervine
別名：牛皮凍、雞糞藤
類型：多年生蔓性藤本
生育環境：低海拔山野、路旁
花期：夏

莖與葉片
莖的特徵：木質狀，細長多分枝
托葉：三角形
葉的特徵：卵形或披針形，對生，全緣，微波狀，長4～10㎝

花朵
著生位置：腋生，聚繖花序
類型：雌雄同株
大小：花冠長約1㎝
顏色：白和紫紅色
花莖：花序具有長梗
花被：花冠長鐘形，外側白，內側粉紅或深紫紅，具有腺毛，5裂，不等長
雄蕊：5枚，藏於花冠筒內
子房：2室

果實
型態：核果，球形，成熟時黃色，有光澤
大小：圓如綠豆稍大
種子：2顆

冇骨消

冇骨消的小花以平展大型的聚繖花序，在夏季郊野盛放。爲什麼蜂、蝶、螞蟻都那麼愛它，仔細瞧瞧花序便明瞭。原來平展的小白花間，雜著很多橙黃色的小小杯狀腺體，這就是分泌蜜腺的地方（白色的花朵並不帶蜜）。昆蟲來吸蜜的同時，身體也一定會沾上隔壁小花上的花粉，就這樣沾來沾去、塗塗抹抹，雌蕊授粉了，便能結出小小的漿果。

冇骨消的漿果也十分可觀，綠的、黃的、紅的，大大的一串。住家附近若有冇骨消，可千萬別清除掉，留著它，可賞花、賞蝶和觀果。像這樣美麗的蜜源植物何妨在庭院裡種上幾棵。

此外，它的根與葉曬乾後是民間治療跌打損傷、消腫毒的漢方藥「蒴藋」，台灣蒴藋之名因此而來。

冇骨消

科別：忍冬科
學名：*Sambucus formosanum*
英名：formosan elderberry
別名：台灣蒴藋、七葉蓮
類型：常綠小灌木或多年生草本
植株大小：1～3m高
生育環境：2600m以下之山野、荒地、溪畔或路旁，略潮濕的向陽或半遮蔭處
花期：春～夏

莖與葉片
莖的特徵：莖髓心很軟
葉的特徵：對生，具長柄，奇數羽狀複葉，小葉大多為7枚，橢圓狀披針形，先端尖，細鋸齒緣

花朵
著生位置：頂生，聚繖花序再呈繖房狀排列
類型：雌雄同株異花
大小：每朵花極小，徑約3～4㎜，但花序大型
顏色：白色
花莖：總花梗很長
花被：花冠輻狀鐘形，先端5裂
雄蕊：雄花有5枚雄蕊
柱頭：3裂

果實
型態：核果呈漿果狀，球形，成熟時紅黃色
大小：徑約4㎜

玉葉金花

玉葉金花醒目的不是真正的花，而是那片由花萼增大變成的白色葉狀瓣。這樣的變異為的仍然是吸引傳粉的昆蟲。

台灣原生的玉葉金花屬植物有4種，葉狀萼片多為白色，玉葉金花以中北部較多見，有些孩子喜歡收集它的「玉葉」夾在書本裡當書籤，中南部較常見的是毛玉葉金花，它的葉狀萼片比玉葉金花要寬大得多；而一些引進的栽培種，像粉玉葉金花、紅玉葉金花則是粉紅色及深紅色，這些觀賞品種的萼片有的不只一枚，而是5枚全特化成瓣狀，一時之間更令人分不清哪裡是真正的花了！

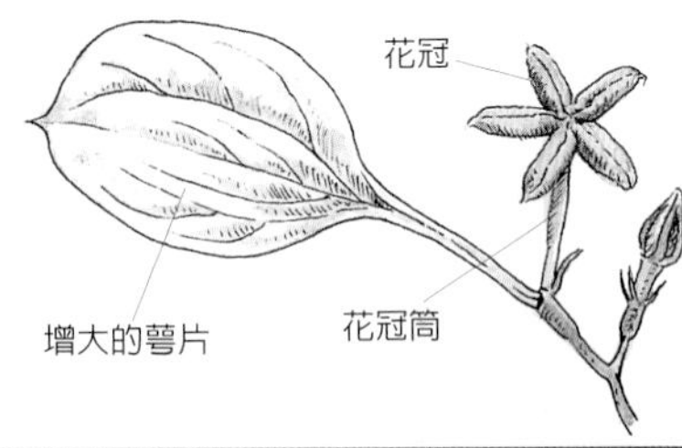

毛玉葉金花

玉葉金花

玉葉金花

科別：茜草科
學名：*Mussaenda parviflora*
英名：Taipei mussaenda
別名：山甘草、紅心穿山龍、台北玉葉金花
類型：常綠蔓性灌木
生育環境：低至中海拔闊葉林中或林緣陰涼處
花期：5～8月

莖與葉片
毛：全株具微毛
托葉：三角狀銳尖形，2裂
葉的特徵：對生，橢圓或長橢圓形，長8～10㎝，全緣

花朵
著生位置：頂生，聚繖花序
類型：雌雄同株異花
大小：長1～1.5㎝
顏色：黃色
花被：萼5裂，其中一裂片常增大呈花瓣狀，白色；冠筒細長，花冠長漏斗狀，先端5裂
雄蕊：雄花有雄蕊5枚；雌花無雄蕊

果實
型態：蒴果，肉質，成熟時紫黑色，橢圓形
種子：多數

小扁豆

小扁豆的花長得令人迷惑，到底哪裡是花瓣？哪裡是花萼？因爲它的花萼帶著淡粉紅色，形狀又像花瓣一樣；而花瓣卻小小的長在橙黃色的龍骨瓣上，是紫紅色。

遠志科對很多人來說都很陌生，這科植物多數爲草本，主要分佈在溫帶地區，台灣只有2屬、6種，它的花朵有點兒類似豆科的蝶形花，但果實是蒴果而非莢果。

小扁豆的果實扁扁的，像顆小豆子，喜歡長在日照良好的山野，數量雖然不多，但總是以群落的方式出現，沿著山徑兩側略乾燥處生長，花和果實皆美。

小扁豆

科別：遠志科
學名：*Polygala tatarinowii*
類型：一年生草本
植株大小：約12cm高
生育環境：1000～1600m中海拔山區強日照及較乾燥的環境
花期：7～8月

莖與葉片

莖的特徵：肉質分枝
毛：全株無毛
葉的特微：互生，卵形，具短柄，葉緣有毛，長1～2cm

花朵

著生位置：頂生，總狀花序
類型：雌雄同株
大小：小花長約2.5mm，花序長1.5～6cm
顏色：粉紅～紫紅色
花莖：總花梗約4cm，小花有短梗1.2mm
花被：萼片5枚，側片成瓣狀，橢圓形；花瓣3枚，合生
雄蕊：8枚，花絲幾乎全部合生成鞘
柱頭：4裂

果實

型態：蒴果扁平，綠褐色
大小：長約2mm
種子：2，黑色，表面有白色毛茸

鄧氏胡頹子

胡頹子類的植物多數是灌木或藤本，葉背及花被筒密被銀色或淡褐色盾狀鱗片，核果包在肉質的花托或花被筒中。台灣產有9種胡頹子，其中楨梧、鄧氏胡頹子、台灣胡頹子比較常見。

鄧氏胡頹子也是許多登山者經常採食的野果。果熟時肉質多水分，又具有甜味，在秋冬季節紅澄澄的，是胡頹子類中果實最大的一種，以台北的大屯山上最常見。

鄧氏胡頹子

科別：胡頹子科
學名：*Elaeagnus thunbergii*
英名：thunberg elaeagnus
別名：尊伯胡頹
類型：常綠半蔓性灌木
植株大小：可達3m高
生育環境：2500m以下的中低海拔山區闊葉林內
花期：6～9月

莖與葉片
莖的特徵：長枝條又分出多數短枝
葉的特徵：互生，卵形到長橢圓形，4～5cm長，全緣，葉背銀亮有褐色斑點

花朵
著生位置：簇生於葉腋
類型：雌雄同株
大小：花冠長0.6cm
顏色：黃白色
花莖：短，6mm長
花被：花冠筒狀鐘形，4裂，裂片三角形，外佈赤褐色鱗屑
雄蕊：4枚，花絲極短

果實
型態：核果，長橢圓形，橙紅色或黃色
大小：長1.2cm

黃花鳳仙花

台灣有3種野生的鳳仙花——紫花鳳仙花、隸慕華鳳仙花和黃花鳳仙花。黃花鳳仙花主要分佈在拉拉山、思源埡口、大霸尖山登山口等地。往往以一小片群落與喜好潮濕的草本植物伴生。

黃花鳳仙花的距像個小彎鉤；果實成熟後具有彈簧狀的特殊構造，稍一受到外界刺激，果皮便迅速開裂捲曲，同時把種子彈放出去，而它留在果柄上的果皮恰如一串精緻的耳墜。

鳳仙花科植物的果實都具有類似的種子傳播機制，有機會您不妨用手捏碰看看，小小果實所產生的強烈彈力一定令您驚訝。

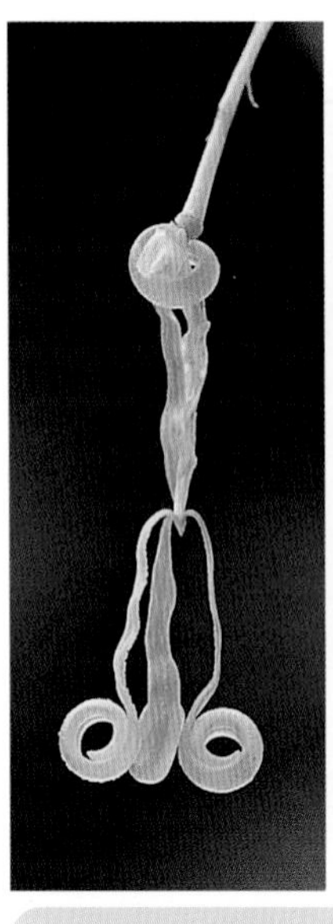

黃花鳳仙花

科別：鳳仙花科
學名：*Impatiens tayemonii*
類型：多年生草本
植株大小：25～50cm高
生育環境：低中海拔潮濕略有陽光之林緣、路旁
花期：7～8月

莖與葉片
莖的特徵：圓柱形
葉的特徵：互生，橢圓披針形，長4～10cm，臘質，鈍鋸齒緣，柄長0.5～2.5cm

花朵
著生位置：腋出，單生
苞片：3枚
類型：雌雄同株
大小：徑約2.5cm
顏色：黃色帶有粉紅或淡紅斑點
花莖：花梗長1.5～4.5cm
花被：上萼片形成扁荷包狀，具有長距2.5cm；花萼、花瓣各3枚
雄蕊：5枚，花絲上部癒合成單體

果實
型態：蒴果，管柱形
大小：長約2cm
種子：3mm長

大枝掛繡球

大枝掛繡球和各種八仙花、水亞木、藤繡球一樣，都屬於虎耳草科八仙花屬，大型頂生的繖房花序、花瓣狀的萼片是它們共同且引人注目的特徵。

在花季未開展之前，只看到一個圓球狀的大總苞掛在枝頭，大枝掛繡球因而得名。它屬於攀緣性、耐蔭的灌木，常攀附在大樹幹上，尤其是在台灣鐵杉樹幹上最常看見。

大枝掛繡球

科別：虎耳草科
學名：*Hydrangea integrifolia*
英名：entire-leaf hydrangea
別名：全緣葉繡球花、全緣葉八仙花
類型：常綠攀緣性大灌木
生育環境：1500～3200m中高海拔針闊葉混生林內
花期：7～8月

莖與葉片
莖的特徵：粗長，分枝多
葉的特徵：對生，具長柄2～3cm，長橢圓形，先端銳，葉面平滑，長10～25cm

花朵
著生位置：頂生，聚繖花序呈繖房狀排列
類型：雌雄同株
大小：花序6～7cm長，密生毛茸
顏色：黃白色
花被：外側花不孕性，有瓣狀萼片2～4枚；兩性花之花瓣長橢圓形
雄蕊：7～8枚
子房：2室

果實
型態：蒴果半球形
大小：徑約1cm

台灣藜蘆

陽光充足、土壤具有黏性的高山草原，是台灣藜蘆的主要舞台。入夏後，北起南湖大山，南至關山的高山草原上，都有它的蹤跡。

6枚瓣片排成2列的花型是百合科的特徵。初春，台灣藜蘆留在地面下過冬的根莖猶如復活般地紛紛探出新芽；初夏，花梗抽出，小花在密佈長毛的梗上深沈開放。花色雖不醒目，但叢生的長花莖遠遠地就能讓人一眼看出它熱烈的生命。

台灣藜蘆

科別：百合科
學名：*Veratrum formosanum*
英名：Taiwan false hellebore
別名：山蒜頭、棕櫚草、山蔥
類型：多年生草本
植株大小：30cm長
生育環境：海拔2500～3700m之向陽開闊草原、岩屑地
花期：6月底～8月初

根、莖與葉片

莖的特徵：直立，堅硬，基部有黑色腐壞的葉鞘纖維
根的特徵：短而厚的根部
葉的特徵：葉無柄，線狀披針形，全緣，12～20cm長，有長葉鞘抱莖

花朵

著生位置：頂生，圓錐花序，花朵小而多數
苞片：光滑，三角狀披針形
類型：雌雄同株
大小：1～1.5cm長
顏色：深紫褐色
花莖：花梗1～1.5cm長，有濃密的毛
花被：6枚，長披針形，光滑
雄蕊：6枚，花絲細長
柱頭：3裂
子房：橢圓形

果實

型態：蒴果，8、9月成熟呈紫紅色
大小：2cm長
種子：數量多，有翅

大甲草

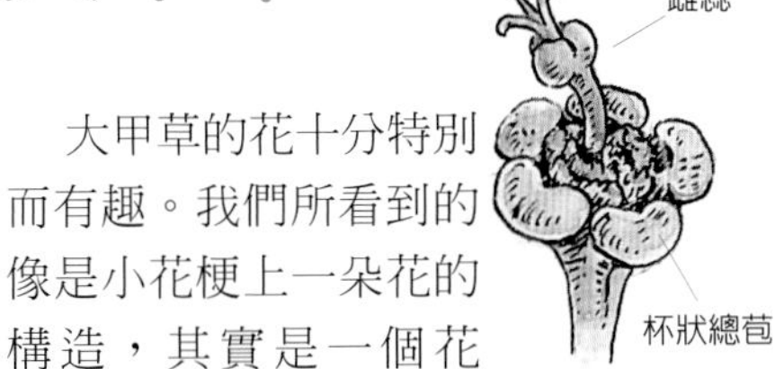

大甲草的花十分特別而有趣。我們所看到的像是小花梗上一朵花的構造，其實是一個花序，看起來像花瓣的黃色卵圓形部份是花序的總苞片。它真正的花朵既沒有花萼也沒有花瓣，雄蕊和雌蕊就長在壺形杯狀的總苞裡。

這種「杯狀花序」是大戟科大戟屬的植物所特有，因此又稱爲「大戟花序」。不僅花的形狀特殊，就連果實頂著開叉的柱頭伸出杯狀總苞外，造型也有趣極了。

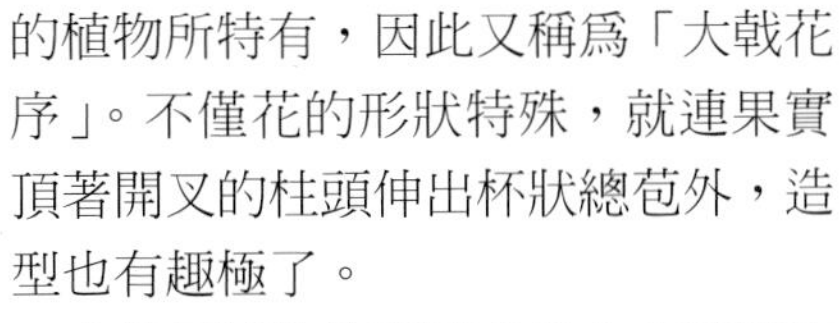

大戟屬植物的莖葉多數含有豐沛的白色乳汁。而大甲草雖然也是民間常用的草藥，但它全株有毒，若皮膚接觸到白色汁液也會出現發炎、癢而腫痛的現象，採集藥材應特別小心。

目前除了野生的植株之外，有些藥園或住家庭園也有栽培大甲草，既是藥用植物也是觀賞花木。

大甲草

科別：大戟科
學名：*Euphorbia formosana*
英名：Taiwan euphorbia
別名：八卦草、台灣大戟、藥虎草
類型：半灌木狀多年生草本
植株大小：高約30～150㎝
生育環境：沿海砂地或礫石地
花期：春～夏

莖與葉片
莖的特徵：直立，分枝呈繖狀，折傷時有白色汁液
葉的特徵：互生或輪生，無柄，線狀披針形，全緣，長3～8㎝，葉背帶粉白色

花朵
著生位置：杯狀花序腋生或頂生，呈聚繖形排列
苞片：總苞片闊鐘形，黃綠色，4裂
類型：雌雄同株異花
大小：花小型
顏色：黃色
花莖：總梗細長
花被：沒有花萼，也沒有花瓣，單性花包於總苞內
子房：扁球形

果實
型態：蒴果，有3稜，成熟後3裂
大小：細小，徑約0.5㎝

蒺藜

蒺藜的莖在根際便分枝，匍匐蔓生在海邊沙地。它全身毛茸，植株貼地，是海濱的生存高手，成片的群落更是海岸的定砂功臣。

蒺藜每朵小花的壽命只有一天，植株的壽命也只有一年，但是從暖帶至熱帶都有它的蹤跡。它的蒴果硬木質化，由5個離果組成，帶著粗毛和5對銳刺，是屬於靠附著在他物身上以傳播種子的型態。

乾燥的蒺藜果實稱爲蒺藜子，是漢方藥材。

每一個離果都有一對銳刺，像個小菱角。

蒺藜

科別：蒺藜科
學名：*Tribulus terrestris*
別名：三腳虎、三腳丁
類型：一年生蔓性草本
植株大小：1m長
生育環境：台灣西海岸、澎湖海邊砂地或向陽乾燥地
花期：5～11月，夏季為盛花期

莖與葉片
莖的特徵：莖自根際分枝，平展伏臥於地面
毛：全株具粗毛
托葉：披針狀的三角形托葉一對
葉的特徵：偶數羽狀複葉，小葉4～8對

花朵
著生位置：單生於葉腋
類型：雌雄同株
大小：徑約1cm
顏色：黃色
花莖：具有短梗
花被：花瓣、花萼各5片
雄蕊：10枚
柱頭：5裂，宿存

果實
型態：蒴果，成熟後5裂，有粗毛及5對銳刺
大小：直徑1cm

鴨舌草

鴨舌草和野慈姑一樣，雖然花朵十分可愛，但由於常長在水田裡和農作物競爭養份，盡被農民視爲雜草。在此不妨建議喜歡栽植野花的朋友，可將這些水生植物先用盆缽栽種後放置在水缸或寬口甕中，再注入水，春夏季，水面上的白花、紫花，清爽而野趣。雖然它們都是春天發芽、冬季即枯萎的一年生草本植物，但每年都會再長出新植株，開出花朵。

鴨舌草的淡藍紫色花於清晨綻放，過了午後便逐漸閉合。它的葉彷彿小型的布袋蓮，光滑亮綠。高雄、美濃一帶的農民有的喜歡採其嫩莖葉作出美味菜餚，或用來餵養草魚、鴨子。

鴨舌草

科別：雨久花科
學名：*Monochoria vaginalis*
英名：ducktongue grass
別名：小水蔥、田芋仔、干瑞
類型：一年生水生草本
植株大小：高可達30㎝
生育環境：台灣各地的水田、溝渠及水塘
花期：全年，以春～夏最盛

莖與葉片

莖的特徵：極短不明顯，另有葉柄狀的直立莖可長達10㎝
毛：全株光滑無毛
葉的特徵：葉根生，水中葉線形，水上葉卵形至卵狀心形，頂端有尾尖，柄長約12㎝，基部鞘狀

花朵

著生位置：總狀花序著生於葉柄狀直立莖之頂端
苞片：花序基部有一大形苞片
類型：雌雄同株
大小：直徑約5～7㎜，花序長2～5㎝
顏色：淡藍紫色
花莖：3～8㎜長
花被：6枚，長橢圓形，內輪3枚較大，外輪3枚較小
雄蕊：6枚，其中1枚特別大
子房：卵圓形

果實

型態：蒴果橢圓形，成熟時3裂
大小：1㎝長
種子：黑褐色，1㎜長

雙花金絲桃

金黃色的5枚花瓣，又多又長的雄蕊，是金絲桃最顯著的特徵。本書另介紹了台灣金絲桃（請見143頁）和玉山金絲桃（請見秋冬篇31頁），讀者不妨將這三者分佈的環境、花形和雄蕊數、植株大小等作一比較，便能有更清楚的印象。

一般來說，台灣金絲桃的外形和雙花金絲桃極為相似，我們或許可從生長環境來區別兩者。有鑑於金絲桃的花期長且花形美觀，目前已有人嘗試將這類野花栽植為庭園植物。其中方莖金絲桃便是走入庭園生活的一員。

雙花金絲桃

科別：金絲桃科
學名：*Hypericum geminiflorum*
別名：高砂金絲梅
類型：灌木
植株大小：0.5～1.5m高
生育環境：300～2000m中南部的中低海拔山區之峽谷、岩壁
花期：7～9月

莖與葉片
莖的特徵：小枝纖細，近方形
葉的特徵：卵狀長橢圓形至橢圓形，幾乎無柄，葉紙質，對生，2～4.5㎝長

花朵
著生位置：頂生或腋生，由1～3朵花聚生，多數為2朵
苞片：窄卵圓形，淡黃色
類型：雌雄同株
大小：徑2～3㎝
顏色：金黃色
花莖：短，1～3個分枝
花被：花瓣5枚，狹倒卵形
雄蕊：5束，每束有6～11枚雄蕊
柱頭：子房的1.3～2倍長，完全癒合
子房：5室

果實
型態：蒴果圓錐形，基部具有5枚宿存萼片
大小：長約1㎝
種子：1.5㎜長，暗紅色，頂端有時有附屬物

裂緣花

岩梅科的植物主要分佈在北半球的寒冷地區和極地。裂緣花是台灣產的唯一一種岩梅科草花，它喜歡生長在潮濕的森林下層，以宜蘭太平山、桃園拉拉山和南投的杉林溪等地較常見。

裂緣花十分小巧精緻，5裂的花冠邊緣有齒裂，像滾上蕾絲邊似地，小花朵總是垂著頭，往裡頭探，才看得見肥短的5枚雄蕊著生在花冠基部且與花冠裂片互生。它的葉也很特別，深綠的革質葉上走著淺綠色脈。記住這些特徵，便能認出這種台灣特有的岩梅科植物了。

裂緣花

科別：岩梅科
學名：*Shortia exappendiculata*
類型：多年生草本
植株大小：約10cm高
生育環境：2000m中海拔的林下植被
花期：6～8月

葉片
葉的特徵：叢生在根基部，圓形至倒卵形，鈍鋸齒至全緣，柄長3～7cm

花朵
著生位置：從簇生葉中伸出花莖，單生
苞片：近三角形，2～4枚
類型：雌雄同株
大小：花冠8mm長
顏色：白色
花莖：長3～6cm
花被：萼片5，卵形；花冠鐘形，5裂，裂片鋸齒緣
雄蕊：5枚
柱頭：3裂

果實
型態：蒴果球形，先端具有宿存花柱，褐色
大小：5mm長

蔓烏頭

藍紫色的頭盔狀花是烏頭屬植物特有的花型。烏頭屬植物主要產在北半球溫帶地區，全世界共約有200種，台灣產有一種（台灣烏頭）及兩變種（蔓烏頭、奇萊烏頭），都自生於高山。

蔓烏頭可說是稀有植物，只侷限於北部中海拔山區，它喜歡長在潮濕又略有陽光的林緣、崖側或路旁，以思源埡口、二子山較能發現小片群落。

初夏，蔓烏頭便陸續開花，雖然它的族群不多，但極容易在特定地點看到，而且令人過目難忘。

烏頭屬於毛茛科有毒植物，特別是根部更有劇毒。中藥材「烏草」便是將烏頭的塊根處理後作爲強心、鎭痛等處方。

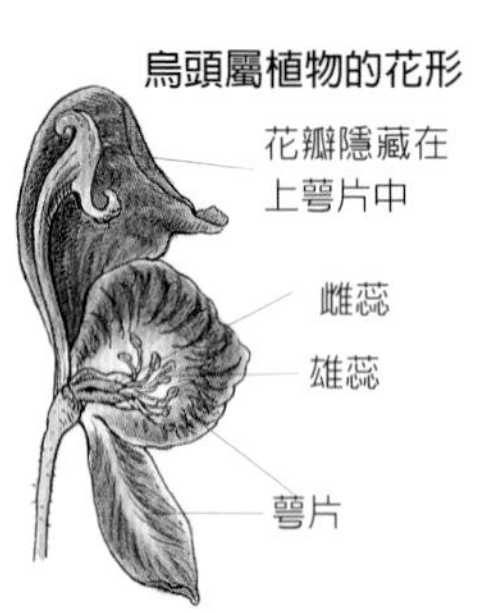

蔓烏頭

科別：毛茛科
學名：*Aconitum bartletii* var. *formosanum*
別名：烏草
類型：多年生宿根性草本
植株大小：約100㎝長
生育環境：北部1700～2100m中海拔山區潮濕的林緣或路旁
花期：6～8月

根、莖與葉片
莖的特徵：細長，攀緣性，被有疏狀毛
根的特徵：塊根圓錐狀，有毒
毛：全株被絹毛
葉的特徵：3～5掌裂，細鋸齒緣，表面有毛，長5.3～10.5㎝

花朵
著生位置：頂生或腋生，3～5朵形成總狀花序或繖房花序
苞片：葉狀
類型：雌雄同株
大小：長約2.5㎝
顏色：藍紫色
花莖：小花梗2.5～5㎝長
花被：萼片5枚，上萼片呈頭盔狀；花瓣2枚，隱藏在上萼片中
雄蕊：多數，花絲基部翼狀
子房：心皮3～5枚

果實
型態：蓇葖果3～5枚著生於一個果軸，扁筒狀，略彎曲
大小：長約2㎝
種子：多數，表面有膜狀翅

牻牛兒苗

牻牛兒苗和漢葒魚腥草一樣，開出梅花似的5瓣花。前者一枝花梗上著生兩朵花，而漢葒魚腥草(請見下頁)則是兩枚帶著長梗的花朵叢生一處。另有一種單花牻牛兒苗，外形也十分相像，但顧名思義，花朵皆單一長出。

牻牛兒苗的果實十分特別。蒴果上部伸展成喙狀，果實成熟時，果皮從莖部急速由外側向上捲裂，彷彿像是發射裝置似的，每一個裂片就帶著一顆種子上舉並彈射出去，而開裂後的果實，形狀看起來就像個小神輿的屋頂。

牻牛兒苗是民間著名的收斂、止瀉藥。老葉曬乾後也能煮來當茶水飲用。

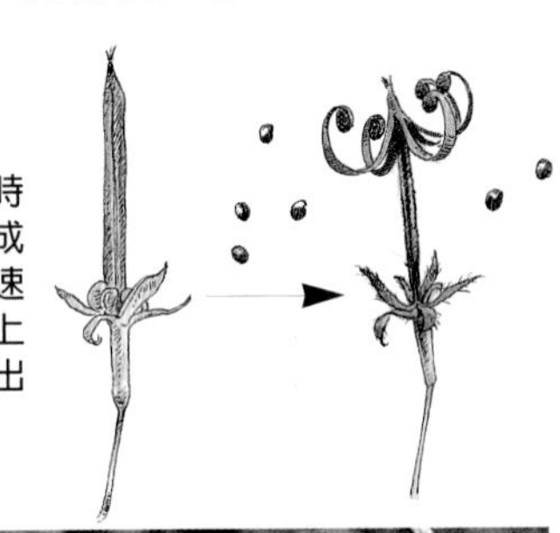

果實成熟時由下方裂成5片，急速由外側向上翻捲並彈出種子。

牻牛兒苗

科別：牻牛兒苗科 （香葉草科）
學名：*Geranium nepalense* var. *thunbergii*
別名：老鸛草、牛扁、風露草
類型：多年生草本
植株大小：30～50㎝高
生育環境：主要分佈在中央山脈中海拔以上的濕潤地
花期：夏

莖與葉片

莖的特徵：全株被有密毛
毛：有
托葉：有
葉的特徵：對生，柄長1～3㎝，掌狀葉3～5深裂，裂片長橢圓形，上部鋸齒緣或淺裂

花朵

著生位置：頂生或腋生，每個花莖上著生2朵花
苞片：4枚
類型：雌雄同株
大小：徑約1㎝
顏色：桃紅色
花莖：小花梗長2～2.5㎝；總花梗3～8㎝長
花被：萼片有毛；花瓣、萼片各5枚
雄蕊：6枚
柱頭：5裂
子房：2室

果實

型態：蒴果，具有長喙，成熟時由基部裂開反捲成牻狀

漢紅魚腥草

莖葉搓揉之後會散出魚腥味的漢紅魚腥草，是中高海拔山區常見的野花。粉紅色的五瓣花兩朵一叢，花梗和小花梗上也和莖部一樣佈滿毛茸。

牻牛兒苗科的植物多分佈在中、高海拔山區，這類植物身上被有毛茸，是處於高海拔的防寒措施。它們的植株型態也十分相似，帶著條紋的粉紅五瓣花、羽裂或深裂的葉，成熟後開裂的蒴果。

漢紅魚腥草喜歡陽光，以南湖大山、大霸尖山、梨山、玉山、花蓮清水山及合歡山一帶最常見。

漢紅魚腥草

科別：牻牛兒苗科（香葉草科）
學名：*Geranium robertianum*
英名：herbrobert，red robin
別名：羽葉香葉草、纖細老鸛草
類型：一年生～二年生草本
植株大小：30～60cm高
生育環境：1800～2900m中、高海拔山區之石灰岩地或路旁、草原
花期：6～8月

莖與葉片
莖的特徵：被毛，直立或斜上，略呈匍匐狀，具腥臭，節明顯
托葉：4枚，2～10cm長
葉的特徵：對生，薄，3全裂，小葉羽狀深裂，外形呈三角形，長8～12cm，具長柄

花朵
著生位置：腋生，花莖頂生2朵花
苞片：對生，小
類型：雌雄同株
大小：徑約1.5cm
顏色：淡紫紅或粉紅色
花莖：小花梗長5～6mm；總花梗比葉柄長
花被：萼片上有腺毛；花瓣5枚，圓形或卵圓形
雄蕊：10枚，2輪
柱頭：5裂
子房：5室，1室有2個胚珠

果實
型態：蒴果，5裂，裂片卵狀三角形
大小：2～2.5cm長
種子：數枚，褐色

單花牻牛兒苗

單花牻牛兒苗是高海拔山區常見的野花，也是牻牛兒苗科中花朵最大的一種，總是以群體生長的方式成片開在岩屑地，又時而與玉山圓柏混生。

這類植物都是蟲媒花，有高山的昆蟲為它們傳粉。它們的果實會長出一個鳥嘴狀的角，成熟時由基部斷裂成5瓣，向上反捲呈牻狀。單花牻牛兒苗和牻牛兒苗一旦開出花便很好分辨；漢葒魚腥草則葉片有明顯的不同，它是中海拔常見的野花，三者應可明顯區分。

單花牻牛兒苗

科別：牻牛兒苗科（香葉草科）
學名：*Geranium hayatanum*
別名：單花香葉草、早田氏香葉草、單花老鸛草
類型：多年生宿根性草本
植株大小：30～50㎝高
生育環境：中央山脈2000～3500m陽光充足的岩屑地或玉山圓柏矮灌叢
花期：6～8月

莖與葉片
莖的特徵：被毛，有節，纖細，略匍匐
毛：全株被毛
托葉：每節有2枚
葉的特徵：外輪廓三角形至闊圓形，5深裂又作淺裂，葉緣呈鋸齒狀，柄長1～5.5㎝

花朵
著生位置：頂生，花單一
苞片：對生，鑿形
類型：雌雄同株
大小：徑2～4㎝
顏色：紫色，有深色條紋
花莖：2～8.7㎝長
花被：花萼被毛，5枚；花瓣5枚，倒卵形
雄蕊：10枚，排成2列
柱頭：5裂
子房：5室，每室有2個胚珠

果實
型態：蒴果具長喙，5裂
大小：2～2.2㎝長
種子：卵形、褐色，4㎜長，有毛

彎果紫堇

細長彎彎曲曲的果實橫生在花軸上，夏季，彎果紫堇的長花串，既可賞花也能同時觀果。它的長筒小花才一凋謝，便露出綠色的小蛇果，十分可愛。在中、南部的高山草原，或者林下、路旁，偶爾會見到一片彎果紫堇的群落，淡黃綠色的花筒，尾端一小截直挺挺的距，前端開口處帶著紫紅色暈。

紫堇類的草花（像刻葉紫堇、彎果紫堇、高嶺紫堇）並不是堇菜，而是莖部帶有乳汁、多數有毒的罌粟科植物。它們的花排列在花軸上，帶著短短的梗，呈總狀花序，沒有花萼，距也不捲曲。

彎果紫堇

科別：罌粟科
學名：*Corydalis ophiocarpa*
別名：彎果黃堇、蛇果紫堇
類型：多年生草本
植株大小：40～80cm高
生育環境：高海拔2400～3000m地區陽光充足的開闊地帶
花期：5月底～8月上旬

莖與葉片
莖的特徵：綠，粗短，有稜
毛：全株光滑無毛
葉的特徵：二回羽狀複葉，8～16cm長，小葉卵形至長倒卵形，3～9深裂，葉柄有翼

花朵
著生位置：總狀花序，頂生，由多數小花組成
苞片：披針狀
類型：雌雄同株
大小：花序長15～30cm；每朵花長8～13mm
顏色：黃綠色帶有紫紅色暈
花莖：小花梗長3～6mm
花被：長筒形，有短距，花冠4裂
雄蕊：6枚
柱頭：花柱細長，柱頭扁平

果實
型態：蒴果，線形，成熟呈褐色，果形彎曲呈波狀
大小：3cm長
種子：圓形，黑色，數枚

虎杖

夏季驅車經過中高海拔的公路，常可看到虎杖在開闊地上繁花錦簇，白色、黃色、紅色交雜掩映。

虎杖雌雄不同株。雌株的花在花開過後，三枚外花被會增大變成翼狀，將瘦果包裹起來。於是，由花期變成果期，遠遠望去只覺得顏色繽紛，兀自以爲虎杖多花多色，卻不察覺那鮮紅的小果實已經準備好了輕盈的翅膀。

入秋之後虎杖進入黃葉期，於冬季葉枯，只留下地下粗大的根莖，一直到隔年春季4月才再萌芽生葉。

從中海拔的開闊地到高山草原，虎杖常伴著多種野花，將夏季的山景燃放得燦爛沸騰。這個季節，這款山色，不能錯過。

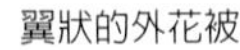

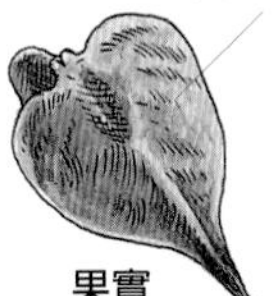

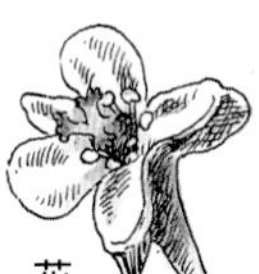

虎杖

科別：蓼科
學名：*Polygonum cuspidatum*
英名：Japanese knotweed
別名：土川七、黃藥子
類型：多年生灌木狀草本
植株大小：1～2m高
生育環境：1800～3800m中高海拔的開闊地、草原、岩石地或公路兩旁
花期：6～9月，7月為盛花期

根、莖與葉片
莖的特徵：地下莖粗大；地上莖中空有節，密被紅色斑點
根的特徵：粗厚，木質
毛：莖上有細柔毛
托葉：托葉鞘膜質
葉的特徵：互生，卵形或廣卵形，長6～15cm，全緣或略呈波狀緣

花朵
著生位置：腋生或頂生，穗狀花序再呈圓錐狀排列
類型：雌雄同株
大小：花小而密集，花序長3～8cm
顏色：白或粉紅色
花莖：小花幾乎無梗
花被：5裂
雄蕊：雄花有8枚雄蕊

果實
型態：瘦果，外有三枚翼狀的外花被保護著，紅色或褐色
大小：長約0.6～1cm

台灣白山蘭

在深山溪谷兩岸的陰濕地帶，一般的陽性植物已無法進入，嗜陰植物因而擁有得天獨厚、可以穩定生長的好環境。台灣白山蘭便是長在這多潮濕而略有陽光的溪谷邊。此處雖然土壤不多，但充足的水份也能滋養一小片一小片的白色小天使。

台中大甲溪上游、太平山、台東都能見到這種台灣特有種。紫菀屬的植物在台灣約有10種，通常不是長在開闊地，便是在溪谷邊，它們枝葉輕盈，花朵樸素，出現時總給人相當的愉悅氣氛。

台灣白山蘭

科別：菊科
學名：*Aster formosana*
別名：台灣紫菀
類型：多年生草本
植株大小：30～80cm長
生育環境：海拔2700m之高山地帶濕潤之林緣或山壁
花期：7～9月

莖與葉片
莖的特徵：直立或下垂，光滑，多分枝，有毛
葉的特徵：根生葉叢生，莖生葉互生，鋭鋸齒緣，長卵形，尾尖

花朵
著生位置：多數頭狀花組成聚繖花序
苞片：披針形
類型：雌雄同株
大小：徑10～12mm（頭狀花）
顏色：白色
花莖：7～10mm長
花被：舌狀花一列，裂片不整齊並向外反曲

果實
型態：瘦果，窄長形，扁平，有冠毛5mm長
大小：0.8mm寬

高山白珠樹

矮小的高山白珠樹，看起來像草本，但它的莖乃道道地地的木質化。它的壺形小花朵朵下垂。有趣的是，花謝之後花朵基部的萼片卻逐漸增大長胖呈白色肉質狀，最後將整個果實包裹了起來，於是出現在枝頭的宛如一粒粒白色（有時為粉紅色）的珍珠。

這些美麗的珍珠果實，又多汁又甜，充滿「撒隆巴斯」的味道，不失為野外解渴求生的最佳食物。

高山白珠樹是台灣十分普遍的高山植物，以武陵農場至雪山東峰、玉山前山至排雲、合歡山昆陽至鳶峰等地生長最茂盛。

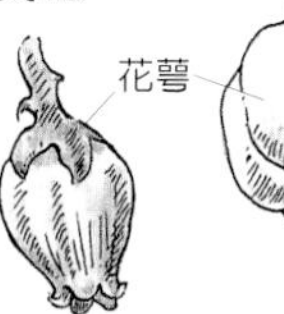

高山白珠樹

科別：杜鵑花科
學名：*Gaultheria itoana*
英名：Borneo winter green
別名：玉山白珠樹
類型：常綠小灌木
植株大小：20～30cm
生育環境：1600～3000m之間的森林下或裸露地
花期：春～夏

莖與葉片
莖的特徵：匍匐地面或略呈直立
葉的特徵：倒卵狀長橢圓形或倒披針形，鋸齒緣，葉表光滑

花朵
著生位置：頂生，3～6朵形成總狀花序
苞片：2枚，卵形
類型：雌雄同株
大小：長0.3～0.4cm
顏色：白色，有時略帶粉紅
花莖：花梗長0.2～0.3cm
花被：花冠壺形，裂片很小；花萼闊鐘形，5裂，花謝後會增大並包住果實
雄蕊：10枚
子房：5室

果實
型態：蒴果球形，外被有白色肉質的花萼，夏～秋成熟，多汁
大小：徑約6mm

巒大當藥

巒大當藥有變化多端的細莖，有的直挺，有的傾斜上昇，有的匍匐臥地。同樣是龍膽科植物，它的花朵並不炫爛碩大，僅用以多取勝的方式開出滿株小花。

在大霸尖山一帶的高山草原，常見到巒大當藥與玉山箭竹交錯混生；由觀霧往鹿場大山途中，也可見到呈群落生長的巒大當藥。

巒大當藥的乾品是有名的藥材，稱爲「當藥」或「苦草」，具有健胃功效。

巒大當藥

科別：龍膽科
學名：*Swertia randaiensis*
別名：當藥、苦草
類型：多年生草本
植株大小：30～50㎝長
生育環境：1500～3300m中高海拔山區路旁、裸露地或草生地
花期：6～9月
莖與葉片
莖的特徵：直立，斜上或匍匐狀，多分枝
毛：全株光滑
葉的特徵：對生，無柄，披針形或闊披針形，全緣，5～7條脈
花朵
著生位置：頂生或腋生，總狀花序
苞片：葉狀，倒披針卵形
類型：雌雄同株
大小：花冠長4～6㎜
顏色：白色
花莖：小花梗長1～1.5㎝
花被：花冠5深裂，裂片長橢圓形，先端尖；花萼5裂，裂片披針形
雄蕊：5枚
柱頭：2裂
子房：長橢圓狀卵形
果實
型態：蒴果，2瓣裂
大小：長約0.6㎝
種子：多數，邊緣翼狀

台灣草莓

高海拔上道道地地的野草莓便是台灣草莓。它像我們所吃的草莓一樣，有個甜而肥大的花托，而真正的果實乃是那細細小小佈在花托表面上芝麻粒似的小瘦果。每年7至9月是果熟期，登高山時，不妨在林緣、路旁多留意，一旦發現了，通常便有數量極多的野草莓可吃。

草莓屬和懸鉤子屬都是薔薇科裡著名的野果，前者佈滿細毛茸，後者多數帶著鉤刺。沒有機會登山的朋友，建議您在平地的草地間尋找另一種常見的草莓屬植物——蛇莓（請見秋冬篇133頁），雖然它的植株小了很多，花是黃色，但型態和台灣草莓相近，可略作比較。

台灣草莓

科別：薔薇科
學名：*Fragaria hayatai*
別名：早田氏草莓、台灣白草莓、野草梅
類型：匍匐性多年生草本
植株大小：10～20㎝高
生育環境：2200～3500m中至高海拔路旁或草生地間
花期：5～8月

莖與葉片
莖的特徵：匍匐性，有發達走莖
毛：全株密被細毛
托葉：附著於葉柄基部，全緣
葉的特徵：具長柄，三出複葉，小葉闊菱狀倒卵形，銳鋸齒緣

花朵
著生位置：單生，或2～4朵形成總狀花序
苞片：狹橢圓形，兩面有毛
類型：雌雄同株
大小：徑約2.5㎝
顏色：白色
花莖：細長，由基部伸出
花被：花萼5裂；花瓣5枚，倒卵狀圓形
雄蕊：多數
子房：多數離生心皮

果實
型態：聚合瘦果，瘦果多數被包覆聚生在肉質球狀的花托上，7～9月果熟期
大小：瘦果細小，肉質花托徑約1㎝

玉山龍膽

「筒狀鐘形的花冠，先端5裂，裂片之間又有小小的副花冠，大小花冠交錯連成一圈」，這是龍膽類草花的花型特徵。「龍膽」，顧名思義一定是苦的，這類草花的根、莖多數是民間常用的藥材。

玉山龍膽花朵碩大鮮黃，花冠內佈有細小斑點。由於花期很長，在一小叢龍膽花中，可以同時看到黃色的花苞與紅褐色的果實。

龍膽類的草花，通常植株小而花朵碩大、顏色鮮豔，十分引人注目。台灣高山上野生的龍膽約有10種，其中以玉山龍膽、台灣龍膽（藍色花、植株最大）和阿里山龍膽（請見216頁）最常見。

玉山龍膽

科別：龍膽科
學名：*Gentiana scabrida*
英名：Morrison gentian
別名：龍膽、草龍膽
類型：多年生草本
植株大小：5～20cm高
生育環境：2300～3800m高山草原、向陽裸露地、林緣、岩礫地
花期：5～8月

莖與葉片
莖的特徵：淡紫色
葉的特徵：對生，長橢圓披針形，全緣，根生葉與莖生葉同形

花朵
著生位置：單生於莖頂
類型：雌雄同株
大小：長約2cm
顏色：黃色
花莖：5～10mm
花被：花冠闊鐘形，先端5裂，每一裂片再一小裂，花冠內有細小斑點
雄蕊：5枚，著生在冠筒中部
柱頭：雙裂，先端反捲

果實
型態：蒴果，卵形，褐色，帶有長柄突出於宿存的花冠外
大小：0.7cm長
種子：黑色

玉山小米草

玉山小米草最先發現於玉山，不過全島高山幾乎都能看得到。它的種子爲類似小米的細小顆粒狀，於是因而命名。

除了唇形科植物具有典型的唇形花冠之外，爵床科、玄參科、苦苣苔科也多數具有類似的唇形花朵。玉山小米草的唇形花冠十分可愛，上唇的裂片向上翻捲，4枚雄蕊便潛藏在上唇瓣裡；下唇開展3裂，喉部帶著黃斑，亮出招引昆蟲入內的誠摯邀請。它的花期幾乎跨越夏秋兩季，是高山上常見的可愛野花。

玉山小米草

科名：玄参科
學名：*Euphrasia transmorrisonensis*
類型：多年生草本
植株大小：5～10㎝高
生育環境：2500～3700m高海拔山區，常見於陰濕處
花期：6～9月

莖與葉片
莖的特徵：細長有毛茸，紅色或紫色
毛：全株被有毛茸
葉的特徵：對生，倒卵形，先端尖，1～3粗齒緣

花朵
著生位置：單生於莖先端的葉腋
類型：雌雄同株
大小：花冠長1.2～1.6㎝
顏色：白色
花莖：花梗極短
花被：花冠筒狀鐘形，2唇裂，下唇先端3裂，較大，喉部有黃斑；花萼鐘形，先端5裂
雄蕊：4枚
柱頭：球形
子房：長橢圓狀卵形

果實
型態：蒴果，秋冬成熟，褐色
種子：細小顆粒如小米

玉山黃菀

相較於黃菀（請見秋冬篇98頁）普遍多見於高山步道沿途、高山草原、針葉林下及林緣，玉山黃菀的生長範圍便顯得侷促，通常在二千多公尺的溪谷兩岸才比較能找到它的蹤影。

就花形、植株外表，玉山黃菀都比黃菀小型，而它們最大的差別就在於葉片的形狀，深齒裂的披針葉是玉山黃菀最獨到不同之處。雖然數量不及黃菀龐大，但玉山黃菀仍然在溪谷兩側呈小群落生長，金黃色的小菊花在遠遠處便引人注目。

玉山黃菀

科別：菊科
學名：*Senecio morrisonensis*
類型：多年生草本
植株大小：30～60cm高
生育環境：中、高海拔山區，多見於溪谷兩岸
花期：夏～秋

莖與葉片
莖的特徵：直立，基部分枝
葉的特徵：莖生葉倒披針形，兩面無毛，長9～14cm，葉緣有不整齊的羽狀尖裂

花朵
著生位置：頂生，頭狀花多數，呈繖房狀排列
苞片：總苞管狀，苞片長橢圓形
類型：雌雄同株
大小：頭狀花徑約1.5～2cm
顏色：黃色
花莖：花梗8～20mm長
花被：舌狀花5～6枚；中央為管狀花，多數

果實
型態：瘦果，有白色冠毛

玉山山蘿蔔

長在水與養份都缺乏的高山岩屑地上，山蘿蔔的主根便一勁地往土壤層伸入、肥壯，於是形成小蘿蔔似的根部。

山蘿蔔開的是類似菊花的頭狀花序，但它並非菊科植物。花朵由外側往內側開，外側花朵的花冠將向外伸展的3枚裂片伸得又長又大，乍看之下，又彷彿是菊科植物中外圍那一圈舌狀花。

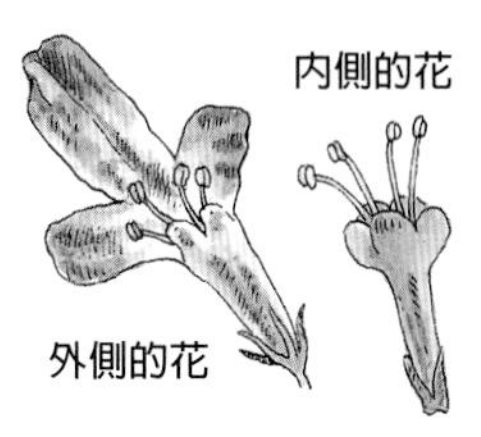

在強烈的日照下，高山野花多半色彩鮮豔。玉山山蘿蔔花大而美，活躍在高山寒原上份外醒目。在大霸尖山、秀姑巒山、玉山、南湖大山一帶十分常見。

玉山山蘿蔔

科別：續斷科
學名：*Scabiosa lacerifolia*
別名：高山山蘿蔔
類型：多年生草本
植株大小：10～20㎝高
生育環境：2500～3900m高山稜線或峰頂、岩屑地
花期：7月底～10月

根、莖與葉片
莖的特徵：莖短，直立或略匍匐狀
根的特徵：主根粗而長，長8～12㎝
葉的特徵：根生葉，線狀披針形，有不規則的鋸齒或分裂，長10～14㎝

花朵
著生位置：頭狀花序自葉叢間抽出
苞片：總苞片排成3列，近似披針形
類型：雌雄同株
大小：徑3.5～4㎝
顏色：紅紫色
花莖：10～20㎝，有白色絨毛
花被：花冠先端5裂或2唇裂，裂片不整齊
雄蕊：4枚
柱頭：花柱線形

果實
型態：瘦果，包圍在總苞內，橢圓形，有刺毛，褐色
大小：長約3～4㎜

玉山當歸

夏季，在森林界限以上的玉山圓柏與玉山杜鵑灌叢中，常看見舉著一團團粉白花球的玉山當歸。它高大而粗壯，花莖伸出了矮灌叢，每一個複繖形花序是由約50束的小繖形花序組成，而每一個小繖形花序又有40至50朵極小的花朵。由此可想而知，當花序剛從總苞中飽滿開出的那一刻，是如何美麗壯觀！

玉山當歸和藥用的「當歸」是同科同屬植物，它的根莖除了可當藥用之外，由於肥厚多汁，亦不失爲野外求生的食物來源。

秋後，當玉山當歸散盡種子，地上部的植株也告枯萎，往往只留下乾褐的果枝如傘骨似地高高撐著。

玉山當歸

科別：繖形科
學名：*Angelica morrisonicola*
別名：玉山芹菜
類型：多年生草本
植株大小：80～120cm
生育環境：3000～3850m高山，常與玉山圓柏及玉山杜鵑混生
花期：6～8月

莖與葉片
根莖特徵：根莖粗大、肥厚多汁；莖中空
葉的特徵：根生葉為二回羽狀複葉，外形呈三角形，長約25cm，柄長25cm；小羽片長橢形，長約6cm

花朵
著生位置：複繖形花序生於莖端，花小而多
苞片：花序下皆有線形總苞，長約1.5cm
類型：雌雄同株
大小：小花序徑1.5～2cm
顏色：淡黃綠或粉白色
花莖：大花梗長4～5cm
花被：花瓣長橢圓形，全緣

果實
型態：蒴果扁平，成熟呈紅褐色
大小：0.5cm
種子：扁平

玉山繡線菊

薔薇科繡線菊屬的植物，通常具有密集、多數的花朵，有許多種類都是著名的栽培花木。台灣自生的繡線菊屬植物共有5種。台灣笑靨花（請見65頁）在早春便開放，花朵集聚成側生的繖形花字；最晚開花的是玉山繡線菊，由於長在高海拔地區，花期最晚，植株也最矮小；台灣繡線菊（請見125頁）是葉最大型的一種（葉長3至8公分）；太魯閣繡線菊乃是花蓮石灰岩地區的特產，數量極稀少；假繡線菊的蓇葖果成熟時直立不展開，花序長5公分。

果實

玉山繡線菊

科別：薔薇科
學名：*Spiraea morrisonicola*
英名：Morrison spiraea
別名：玉山珠球、玉山珍珠梅
類型：落葉小灌木
植株大小：約30～50cm高
生育環境：中央山脈3200～3990m高海拔山區，常長在潮濕岩壁
花期：7～8月

莖與葉片
莖的特徵：圓柱形，多分枝
葉的特徵：卵形或倒卵形，上半部鋸齒緣，心基部全緣，長1～1.5cm

花朵
著生位置：頂生於枝端，約7～12朵呈繖房花序，再呈複繖房花序排列
類型：雌雄同株
大小：徑約4mm
顏色：白色帶有紅色暈
花被：花瓣5枚，插生於萼筒口
雄蕊：多數

果實
型態：蓇葖果5枚呈短輪狀，沿著內縫線開裂
種子：細小

玉山薄雪草

爲了抵擋乾旱及冬雪，玉山薄雪草葉上長著厚厚的白色綿毛。尤其是黃色花序下方的總苞片，敷上的綿毛猶如堆積的薄雪，看起來眞像是盛開的白花。

玉山薄雪草是相當典型的高山植物，在森林界限以上的岩屑地，當春天來時，原本枯葉的老株竟像奇蹟似地在先端冒出了嫩芽；初夏便含苞，夏季盛開如撒在草地上的雪花。許多人愛膩稱它是台灣的「愛德懷斯」（Ederweiss，歐洲產的一種薄雪草，是純潔、高貴的小白花），夏天登上峰頂，別忘了欣賞它的美麗與強韌。

玉山薄雪草

科別：菊科
學名：*Leontopodium microphyllum*
英名：Taiwan ediv
別名：細葉薄雪草、雪履草
類型：多年生草本
植株大小：矮小細長
生育環境：2700～3500m高山岩屑地或岩原
花期：6～8月

莖與葉片

莖的特徵：多分枝
毛：全株具有長綿毛
葉的特徵：葉片長滿厚厚的白色綿毛，無柄，互生，線形或線狀披針形

花朵

著生位置：頂生，每一枝端有4～9個頭狀花序
苞片：總苞片輻射狀，有厚細毛，苞片線形或披針形
類型：雌雄同株
大小：管狀花2.5㎜長
顏色：總苞片白色，花淡黃色
花莖：頭狀花具有短梗
花被：兩性花位於花的中央；雌性花位於花的邊緣，皆為管狀花冠
雄蕊：5枚

果實

型態：瘦果長橢圓形，秋熟
大小：極小

尼泊爾籟簫

尼泊爾籟簫分佈在喜馬拉雅山及中國西部，台灣則見於高山群峰頂及附近的岩原、岩屑地。

除了和玉山薄雪草一樣，全身佈滿白色長綿毛，尼泊爾籟簫更具備了乾膜質的頭狀花，禦寒裝備可謂齊全。

植株矮小，卻擁有看起來碩大的花蕊，這都要歸功於花序外圍七列白色花瓣似的總苞片，甚至有人誤以爲這是菊科的舌狀花呢！其實眞正的花朵僅是聚集在中央部位的小小黃花群。

尼泊爾籟簫

科名：菊科
學名：*Anaphalis nepalensis*
英名：Nepalese anaphalis
別名：清明草、白芝草
類型：多年生草本
植株大小：2～8㎝長
生育環境：3200m以上的高山岩屑地或向陽開闊處
花期：7～10月

莖與葉片
莖的特徵：直立或略呈匍匐狀
毛：全株密被白色綿毛
葉的特徵：密集互生，根生葉匙形，莖生葉稍長，兩面密生長綿毛

花朵
著生位置：頭狀花序單生或2、3個聚生於莖頂
苞片：總苞球狀鐘形，苞片7列，白色
類型：雌雄同株
大小：頭狀花序徑約2.5～3㎝
顏色：總苞片白色，花黃色
花莖：頭狀花花梗極短
花被：雌性舌狀花生於邊緣；中間為兩性管狀花
雄蕊：5枚
柱頭：2裂

果實
型態：瘦果長橢圓形，具白色冠毛
大小：長約1㎜

阿里山龍膽

生長在台灣高山上的近10種龍膽，以阿里山龍膽的葉片最小、花朵最大，是高山上十分常見的野花，尤其是在中、南部的高山如雪山、玉山、合歡山等，更是頻繁可見。它多生長在岩屑地或裸露地，有時也能長於稀疏乾燥的松林下。

阿里山龍膽的藍和紫，在高山的豔陽下微妙調配著，如此強烈而不俗的顏色，只有親眼目睹才能深切感受它的大方純淨。

阿里山龍膽

科別：龍膽科
學名：*Gentiana arisanensis*
英名：alisan gentiana
別名：藍花龍膽
類型：多年生小草本
植株大小：3～13㎝
生育環境：2300～3900m高海拔的高山草原、向陽開闊地、岩屑地
花期：5～9月

莖與葉片
莖的特徵：叢生，直立不分枝
葉的特徵：卵形，成對密生，莖部鞘狀，兩面光滑，長5～6㎜，革質

花朵
著生位置：單生於莖端
類型：雌雄同株
大小：長1.7～2.2㎝
顏色：藍紫色或紅紫色
花莖：5～6㎜
花被：花冠漏斗形，先端5裂，裂片闊卵形，副冠5枚，三角形；花萼筒狀鐘形，先端5裂，裂片狹三角形
雄蕊：5枚，著生於花冠喉部
柱頭：2歧分叉，反捲
子房：3室

果實
型態：蒴果倒卵形，帶有殘存的花冠，2瓣裂
大小：長約0.6㎝
種子：狹長橢圓形

奇萊烏頭

奇萊烏頭比蔓烏頭分佈的位置更高，花期也比較晚，是夏末初秋高山上令人驚豔的碩大花朵。

南湖大山、中央尖山及合歡山是奇萊烏頭主要產地，常與玉山箭竹林混合生長，在高山草原內、峭岩邊或溪旁也時而可見。它的頭盔狀紫花近10朵排列在莖端的花梗上，豔麗極了！

我們所見的烏頭紫色的花是它的萼片，它的花瓣藏在頭盔狀的上萼片中。仔細探那萼片內，密生著細細的毛茸，花瓣基部便是成團聚集的雄蕊群（請見198頁圖解）。

奇萊烏頭

科別：毛茛科
學名：*Aconitum bartletii* var. *fukutomei*
別名：高山烏頭
類型：多年生草本
植株大小：25～40㎝
生育環境：中北部3100～3800m高山陰濕地
花期：7～10月

根、莖與葉片

莖的特徵：直立
根的特徵：黑色，塊根狀
毛：全株被有毛茸
葉的特徵：互生，3～5深裂，長3～4.5㎝，細裂緣，柄長4～6㎝，兩面皆有毛茸

花朵

著生位置：莖端，總狀花序
苞片：2枚，線形
類型：雌雄同株
大小：長約3㎝
顏色：紫色
花莖：花梗長2～3㎜，有毛茸
花被：萼片5枚，上萼片頭盔形；花瓣線形，藏於盔瓣花兜內
雄蕊：多數

果實

型態：蓇葖骨
大小：0.6～1㎝長
種子：有膜翅

南湖大山柳葉菜

產於台灣高山上的柳葉菜約有4種，南湖大山柳葉菜是南湖大山的特產，由於分佈範圍侷促且數量不大，可視為稀有植物。它是柳葉菜類植物中植株最矮小、花朵最大的一種，和其他的柳葉菜植物在外形上並不相像。

柳葉菜多為喜歡冷涼濕潤的陰性植物，高山柳葉菜和合歡山柳葉菜在各個高山上皆普遍可見；而在低海拔山區則以台灣柳葉菜較多。

南湖大山柳葉菜

科別：柳葉菜科
學名：*Epilobium nankotaizanense*
英名：Nanhutashan epilobium
別名：南湖柳葉菜
類型：多年生草本
植株大小：3～8cm高
生育環境：南湖山區、雪山山區、奇萊山區3500～3700m之陽光充足的岩屑地
花期：7～8月

葉片
葉的特徵：對生，莖上部互生，密集生長，橢圓形，疏鋸齒，長0.5～2cm

花朵
著生位置：單生，腋出
類型：雌雄同株
大小：花瓣長1.5～3cm
顏色：粉紅或紅紫色
花莖：極短，花梗有毛茸
花被：花萼深4裂；花瓣4枚，倒卵形或倒披針形
雄蕊：8枚
柱頭：圓球狀，4裂
子房：有毛茸

果實
型態：蒴果
大小：2.4～3.1cm長
種子：褐色，倒卵形，有褐白色冠毛

南湖大山碎雪草

生長在高山峰頂3600公尺以上的寒原地帶，碎雪草的出現意謂著冰天雪地的寒原即將生機盎然。

碎雪草和小米草（請見209頁）是同科同屬的草花，除了顏色之外，花型幾乎同一款式。它是台灣極少數的寒原植物之一，低於3600公尺的山地便不易發現，花期也遲至8月。

南湖大山碎雪草

科別：玄參科
學名：*Euphrasia nankotaizanensis*
類型：多年生草本
植株大小：5～12㎝高
生育環境：南湖大山主峰、北峰、東北峰約峰頂3600～3750m之岩原或岩屑地
花期：8～9月

莖與葉片
莖的特徵：單生，細長，基部匍匐，先端直立或斜上，密佈柔毛
毛：佈有柔毛
葉的特徵：對生，無柄，密集排列於莖上部，長橢圓形或卵形，鈍鋸齒緣，並排列著柔毛

花朵
著生位置：單生，長於莖先端的葉腋
類型：雌雄同株
大小：花冠10～15㎜長
顏色：黃色
花莖：極短，約1㎜長
花被：花冠筒狀鐘形，先端2唇裂，下唇又呈不規則3裂，有毛茸
雄蕊：4枚，不整齊
柱頭：頭狀
子房：長橢圓形

果實
型態：蒴果，10月後成熟
大小：約3㎝長

雪山翻白草

根據學者研究，雪山山頂附近有冰河遺跡，據推測早期此處應有許多高山寒原植物生長，後來因冰河消退，氣候的變化使這些植物多數死亡，僅有少數寒原植物留下來，然而它們的分佈範圍極狹小，成爲雪山山頂的指標植物之一。

雪山翻白草便是這極少數的其中一員。它喜歡充足的陽光，大多生長在裸露的岩原或岩屑地上，粗厚的根是儲藏養份的所在，以供每年春天萌芽所需。翻白草葉背的白色長綿毛濃密地伸出葉緣，整整齊齊地翻出一列一列的白。雪山翻白草雖然分佈範圍小，但花朵比玉山翻白草大，植株也伸展得較開。

雪山翻白草

科別：薔薇科
學名：*Potentilla tugitakensis*
別名：雪山萎陵菜
類型：多年生草本
生育環境：3700m以上山區強日照之岩屑地，僅見於雪山
花期：6～8月

根、莖與葉片
根的特徵：粗厚，善於儲存養份，冬季只留下根部越冬
毛：植株表面密被銀色綿毛
托葉：鱗片狀，基部與葉柄相連
葉的特徵：奇數羽狀複葉，長6～12cm，具葉柄，小葉20～30對，無柄，長橢圓形或卵形，鋸齒緣，表面有毛茸，背面具長綿毛

花朵
著生位置：1～5朵著生於花莖頂
苞片：線形，具長綿毛，1～2枚
類型：雌雄同株
大小：徑約1～1.5cm
顏色：黃色
花莖：長約15～20cm，有粗毛
花被：花瓣5枚，倒卵狀圓形；花萼具5枚三角狀裂片
雄蕊：20枚

果實
型態：瘦果小型，密生絹毛

穗花佛甲草

景天科的植物多半具有肥厚的肉質葉，以適應海邊或高山惡劣、乾旱的環境。穗花佛甲草的肉質葉是灰綠色的圓形葉片，襯著淡黃色小花裡吐出的長長雄蕊，猶如將熄的火焰一般，於是又稱為「火焰草」。

雖然花期並不長，但入秋之後，葉片逐漸變得橙黃，紅褐色的果實也在此時開裂釋出種子，熱鬧繽紛的果期一點也不遜色。

穗花佛甲草

科別：景天科
學名：*Sedum subcapitatum*
別名：火焰草
類型：多年生草本
植株大小：14㎝高
生育環境：3000～3900m高海拔山區稍陰蔽的岩壁、岩隙地
花期：夏天

莖與葉片
莖的特徵：略匍匐，四角形
葉的特徵：互生，卵圓形，全緣或不規則鋸齒緣，綠色葉片，肉質

花朵
著生位置：頂生，聚繖花序，由5～8朵花組成
類型：雌雄同株
大小：3.5～4㎜長
顏色：淡黃色
花莖：花梗極短
花被：萼片5枚，線形；花瓣5枚，長形
雄蕊：淡黃色雄蕊，外露，10枚
子房：披針狀紡錘形

果實
型態：蓇葖果，熟時呈紅褐色
種子：倒卵狀紡錘形的種子，量多

高山倒提壺

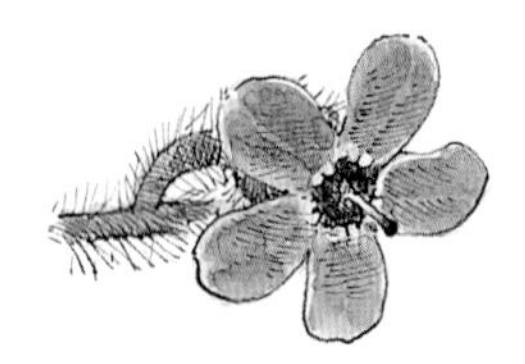

倒提壺這一屬的植物在台灣只有三種，高山倒提壺、小花倒提壺以及最普遍常見的琉璃草。它們的花都在藍色與藍紫色之間，長長的花序先端微微卷曲，花朵呈放射對稱形，很有秩序感地排列在花軸上。

高山的土壤發育極差，要找到高山倒提壺，通常得在山谷較平緩地帶，有土壤和岩屑堆積的地方，它常與其他矮小的草本植物伴生，偶爾也混生在箭竹叢間。

高山倒提壺

科別：紫草科
學名：*Cynoglossum alpestre*
類型：多年生草本
植株大小：約50㎝高
生育環境：生長在南湖大山約3500～3700m山地、溪床或岩屑地
花期：7～8月

莖與葉片

莖的特徵：直立，少分枝
毛：全株密被白毛茸
葉的特徵：披針形或線狀披針形，根生葉及莖生葉皆無柄，長7～10㎝

花朵

著生位置：頂生圓錐花序
類型：雌雄同株
大小：花序長達11㎝，小花徑約5㎜
顏色：藍色
花莖：具有短花梗，花莖直立，通常在基部呈2分叉
花被：萼片卵形，深5裂；花冠筒狀，先端5深裂，裂片2㎜長，圓形，開展
雄蕊：5枚

果實

型態：堅果，由4個小分果組成，扁平卵形，有長倒鉤剛毛
大小：3㎜寬

高山沙參

成群盛開的藍紫色風鈴花是沙參亮麗的身影。台灣高海拔地區常見的沙參有玉山沙參和高山沙參兩種，玉山沙參產在中、高海拔（2200至3200公尺）的林緣、灌叢及高山草原，它的葉片細長，有著長串的總狀花序，可以和高山沙參在環境及形態上明顯比較出來。

沙參類植物都具有肉質肥大的根，冬季，在地上部植株全部枯死之後，藏於地下的粗根會等待翌年春天再長出新葉。

高山沙參植株矮小，常群生於高山峰頂附近的岩原或岩屑地，在南湖大山、玉山、秀姑巒山、關山及向陽山都能見到。

玉山沙參

高山沙參

科別：桔梗科
學名：*Adenophora uehatae*
別名：沙參
類型：多年生草本
植株大小：8～12㎝高
生育環境：3400～3900m之森林界限以上的岩屑地或岩原
花期：7～9月

根、莖與葉片
莖的特徵：基部匍匐狀，上部分枝，有縱稜線，被毛
根的特徵：肉質肥大
葉的特徵：互生，長橢圓形或披針形，表面粗糙，鈍鋸齒緣，有毛茸，短柄或近乎無柄

花朵
著生位置：單生，或2～3朵生於莖端
類型：雌雄同株
大小：長3～3.5㎝
顏色：紫藍色
花被：花冠鐘形，先端5裂，裂片為三角形；花萼筒呈短圓柱狀，先端5裂，裂片線形
雄蕊：5枚，圍生在花柱基部，12㎜長
柱頭：4裂，花柱線形

果實
型態：蒴果，有明顯稜線
大小：5～10㎜長
種子：多數

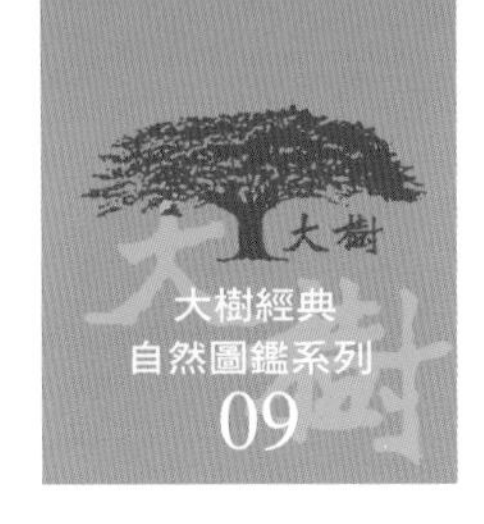

A FIELD GUIDE TO WILD FLOWERS OF TAIWAN IN SPRING & SUMMER

台灣野花365天 春夏篇

◎出版者／遠見天下文化出版股份有限公司
◎創辦人／高希均、王力行
◎遠見．天下文化．事業群 董事長／高希均
◎事業群發行人／CEO／王力行
◎天下文化社長／總經理／林天來
◎國際事務開發部兼版權中心總監／潘欣
◎法律顧問／理律法律事務所陳長文律師
◎著作權顧問／魏啟翔律師
◎社址／台北市104松江路93巷1號2樓
◎讀者服務專線／（02）2662-0012
◎傳真／（02）2662-0007；2662-0009
◎電子信箱／cwpc@cwgv.com.tw
◎直接郵撥帳號／1326703-6號 遠見天下文化出版股份有限公司

◎撰　文／張碧員．張蕙芬
◎攝　影／呂勝由
◎插　畫／陳一銘．傅蕙苓
◎編輯製作／大樹文化事業股份有限公司
◎總編輯／張蕙芬
◎內頁設計／徐偉
◎封面設計／黃一峰

國家圖書館出版品預行編目資料

台灣野花365天. 春夏篇 A Field Guide to Wild Flowers of Taiwan in Spring & Summer / 張碧員、張蕙芬撰文；呂勝由攝影；陳一銘、傅蕙苓插畫 -- 第一版. -- 臺北市：天下遠見, 2006[民95]
面；21×29.7公分. --（大樹經典自然圖鑑系列；9）
ISBN 978-986-417-801-8（精裝）
1. 種子植物 一 台灣
376　　95020247

◎製版廠／黃立彩印工作室
◎印刷廠／立龍藝術印刷股份有限公司　◎裝訂廠／精益裝訂股份有限公司
◎登記證／局版台業字第2517號
◎總經銷／大和書報圖書股份有限公司 電話／（02）8990-2588
◎出版日期／2016年11月10日 第一版
／2019年6月10日 第一版第11次印行
◎ISBN-13：978-986-417-801-8　◎ISBN-10：986-417-801-6
◎書號：BT1009　◎定價／650元
天下文化官網 bookzone.cwgv.com.tw